ぼくらの七日間戦争

宗田理

角川文庫 5918

目次

一日　宣戦布告

1

掛時計の長針と短針が重なった。

正午。

さっきからそれを見つめていた菊地詩乃《きくちしの》は、あらためて大きな溜息《ためいき》をついた。予定の帰宅時間から一時間もおくれている。最初の苛立《いらだ》ちが、いつの間にか不安にすり変っていた。何かあったのだろうか？

――交通事故？

まさか。学校からの帰り道に交通事故なんて、起きると考える方がどうかしている。

成績がわるくて、学校に残されたのだろうか？

一人息子の英治《えいじ》は中学一年。きょうは一学期の終業式である。いくらおそくても、十一時には帰れるはずだ。

そうしたら、十一時半に英治をアウディー80に乗せて家を出発。十二時十分に、池袋《いけぶくろ》のサンシャインビルの前で夫の英介《えいすけ》を拾う。

英介の会社はサンシャインビルにあるのだが、きょうの午後から休みをとり、日曜日までの三日間、軽井沢《かるいざわ》で親子三人テニスをやったり、高原のドライブをしたりしようという計画である。

計画を立てたのは詩乃で五月のことである。夫の英介はさほど乗り気ではなかったが、英治がすごく行きたがっているからと言って、しかたなしに承知させたものである。

けさ英治が学校へ出かけるとき、詩乃は、道草をせずに早く家に帰ってくるよう、しつこいくらい言った。そんなことを言わなくても、英治は聞きわけのいい子なのだが、なんとなく虫が知らせたのかもしれない。

――それにしてもおかしい。

時間は容赦《ようしゃ》なく過ぎてゆく。詩乃は窓から表《おもて》を眺《なが》めた。梅雨《つゆ》明けの青空がひろがって、道路は強い陽光を受けて、皓々《しろじろ》と光っている。英治が帰ってくるとすれば、向こうの曲がり角から姿をあらわさなければならないのだが、人っ子一人見えず、森閑としている。

突然電話が鳴って、思わず、椅子《いす》から腰を浮かした。悪い報《しら》せかもしれない。そうだ。きっとそうにちがいない。激しい動悸《どうき》がして、胸苦しくなってきた。電話は鳴りつづける。意を決して受話器に手を伸ばした。

「いつまで、何をぐずぐずしているんだ？」

いきなり、夫の英介のどなり声である。

「英治が……」

「英治がどうかしたのか？」

「帰ってこないのよ」

「どこかで遊んでるんだろう。早く帰ってくるよう、ちゃんと言ったのか？」

「言ったわよ。口が酸《す》っぱくなるくらい」

「おかしいじゃないか」

「おかしいのよ」

詩乃は英介の言葉を反復した。

「学校へ行ってみたのか？」

「いいえ、まだ」

「どうして行かないんだ？」

英介は声を荒げた。そう言われてみれば、まったくそのとおりだ。

「いまから行って見てくるわ。十五分したら、もう一度電話くださる？」

詩乃は、電話を切るや否や、自転車に乗って家を飛び出した。目がまぶしくなるほどの強い日差しだ。

中学校までは六〇〇メートルほどの距離である。途中、下校する生徒に出会うかもしれないと思ったのに、子どもたちの姿は全然ない。この時間だ。いないのが当り前である。急いだので、五分ほどで学校に着いたが、ここもがらんとして人影は見あたらない。ただ、運動場の隅《すみ》のプールだけが人声で騒々しい。

詩乃は、自転車を校門の脇《わき》に置いてプールに近づいた。子どもたちは二十人くらいいる。もうすぐ、区の対抗試合があるから練習しているにちがいない。

知っている顔がないかと見まわしたとき、ちょうどプールから上がってきたばかりの中山《なかやま》ひとみと目が合った。ひとみは、にっこり微笑《わら》って頭を下げた。

「ねえ、英治帰ったかしら？」

ひとみは、英治と同じ一年二組で〝玉すだれ〟という料亭《りようてい》の娘である。

「ええ、帰りましたよ」

ひとみは、一六〇センチをこす上背と、若い娘のように発達したからだを惜しげもなく見せて言った。

「そう。いつごろ？」

「さあ、もう一時間以上前だと思います。菊地君、どうかしたんですか？」

「まだ帰ってこないのよ」

「へえ……。じゃ、どこかで遊んでるんじゃないんですか？」

「そんなこと言ってた？」

「いいえ、聞きませんでした」

「それとも、成績がわるくて帰るに帰れないのかしら」

「成績わるいのは、私もいっしょ」

ひとみはぺろりと舌を出すと、いきおいよくプールに飛びこんだ。白い水しぶきが上がった。

水泳では中学で一番。区でも優勝するだろうと言われている。泳いでさえいればご機嫌《きげん》なひとみに、母親の雅美《まさみ》は勉強しろとうるさく言うらしい。

それは、サッカーにばかり夢中になっている英治も同じで、詩乃はつい嫌味《いやみ》を言ってしまう。

やはり英治にも、父親の英介のように、一流大学を出て一流企業に就職してもらいたいのだ。

詩乃は、校門を出たところにある電話ボックスに飛びこんだ。中はサウナみたいな暑さで、たちまち汗が全身から吹き出してくる。英治の友だちのだれかの家に電話しようと思った。それなのに、電話番号はひとつも思い出せない。

電話ボックスを出た詩乃は、ふたたび自転車で家に戻った。

クラスの名簿をひらくと、一番は相原徹《あいはらとおる》である。相原の家は両親で塾をやっている。

電話に出たのは、母親の園子《そのこ》だった。

「菊地ですけれど、徹君帰ってきました？」

「さあ」

『徹』と遠くに向かって呼ぶ声がした。

「帰っていないようよ」

「おたくも？　うちの英治も帰ってきませんの。どこへ行ったのかしら？」

「あしたから夏休みだから、きっとどこかふらついているんでしょう」

園子は、まるで気にもかけていない様子だ。詩乃は、もし帰ってきたら連絡してほしいと言って電話を切った。

つづいて十番の佐竹哲郎《さたけてつろう》の家に電話した。受話器の向こうで子どもの声がした。

「哲郎君？」

「いいえ、俊郎《としろう》です」

はっきりと否定された。そういえば哲郎には小学校五年の弟がいた。

「お兄ちゃん学校から帰ってきた？」

「いいえ、まだ帰ってきません」

「パパとママはいないわよね？」

佐竹の家では夫婦共稼ぎで、昼間はだれもいないはずだと思いながら聞いた。

「はい」

予期したとおりの返事だった。

「お兄ちゃん、どこに行ったか知らない？」

「知りません」

詩乃は、ありがとうと言って電話を切った。これで、英治を含めて三人が学校から帰っていないということがわかった。そうなると、しめし合わせてどこかへ遊びに行ったのか。この三人は仲良しだから、そういうことがないとも限らない。

電話が鳴った。受話器を耳にあてると、夫の英介からだった。

「どうだった？」

「学校はとっくに出たらしいの」

「じゃ、どこへ行ったんだ？」

「わからないわ。帰ってこないのは英治だけじゃないのよ。相原君と佐竹君に電話してみたけれど、二人とも帰っていないの。ほかにもまだいるかもしれないわ」

「すると、みんなでどこかへ行ったというのか？」

「そうとしか考えられないわ」

「英治は、軽井沢へ行くことを知っていながら、無断ですっぽかしたというんだな？」

英介の声が変った。我慢の限界に達している感じだ。

「誘拐《ゆうかい》されたんでなければね」

「誘拐……？」

「まさかとは思うけれど」

「きょうの軽井沢行きは中止だ。ぼくはこれから家に帰る。それまで、ほかの友だちの家にも電話して聞いておいてくれ」

英介は、とたんに電話を切ってしまった。こんなことで軽井沢行きを中止するなんて、気が短か過ぎる。それとも、本気で誘拐を信じているのであろうか。詩乃は、どこに電話しようかと思いながら、指は無意識に柿沼《かきぬま》産婦人科病院のダイヤルを回していた。電話口に、母親の奈《な》津子《つこ》を呼び出してもらった。

「直樹《なおき》君、学校から帰ってきた？」

「いいえ、まだ。おたくも？」

「そうなの。いま、あちこち電話してるんだけど、だれも帰っていないのよ。おかしいと思わない？」

「そうね……」

奈津子は、上《うわ》の空《そら》の返事をした。院長夫人とはいっても、薬局に入って忙しいので、子どものことにはかまっていられないのかもしれない。

「じゃいいわ。私、みんなに電話してみる」

「ごめんなさい。結果をおしえてね」

図々《ずうずう》しいと言ったらいいのか、おおらかと言うべきなのか。しかし、詩乃はそんな奈津子をけっして嫌いではない。

一年二組のクラス全員、四十二人に電話し終るのに三十分以上かかった。男子生徒二十二人のうち、八人はだれもいなくて電話に出なかったが、家にいたのは、谷本聡《たにもとさとる》ただ一人であった。

谷本は、体育の教師酒井敦《さかいあつし》にしごかれ、腰椎《ようつい》をいためて一週間以上学校に行っていない。だから、きょう学校に行った男子生徒は、全員家に帰っていないということになる。

谷本がやられたのは、必殺中ぶらりん事件といって、PTAでも問題になりかかったのだが、校長が谷本の両親と話し合って、もみ消してしまった。

バスケットの練習中、相手側にボールを取られると、二回鉄棒にぶら下がる必殺中ぶらりんという罰則を酒井が決めた。谷本は力尽きて転落、腰を打って入院したのだ。

谷本は男子生徒が学校から帰ってこない理由は知らないと言った。

一方女子生徒の方は全員が帰宅しており、彼女たちも、男子生徒がどこに行ったのか、知っている者は一人もいなかった。

午後二時
男子生徒の母親たちが詩乃の家に集まった。十二畳のリビングルームは、クーラーの限界を超えて、蒸《む》れかえるように暑くなった。
「学校を出るときは、ばらばらだったみたいよ。だから、誘拐じゃないわよね」
宇野秀明《うのひであき》の母親千佳子《ちかこ》が、自分に言い聞かせるように言った。

「子どもたちは、自分の意志で行ったのか、それとも、だれかにつれて行かれたのかしら？」

佐竹哲郎の母親紀子《のりこ》は、肥っているせいか、ハンカチでしきりに額の汗を拭《ふ》いた。

「つれて行くっていったら人さらい？　だって、あの子たち中学生よ。しかも、一人や二人じゃないのよ」

日比野朗《ひびのあきら》の母親邦江《くにえ》は、度の強い眼鏡の奥で、小さい目を光らせた。

「きっと、何かをたくらんで姿を隠したにちがいありません。どうせ、そう遠くへは行ってないと思います。みんなで手分けして捜しましょう」

いつの間に帰ってきたのか、夫の英介が言った。

「そうだわ」

英介の言葉に、みんな、はじかれたように立ち上がった。

「荒川《あらかわ》か隅田川《すみだがわ》で、水泳ぎでもしてるんじゃない？　きっとそんなところよ」

相原徹の母親園子が、明るい声で言った。

「おたくの徹君はともかく、うちの秀明は、絶対そんなことはしません」

千佳子が憤然と言った。

「むかしの子どもじゃあるまいし、それに、全員が家にも帰らず水泳ぎに行くなんて、そんなこと考えられて……？」

邦江も、皮肉をこめて言った。それは、邦江の言うとおりだと詩乃も思った。子どもたちだけで遊びに行くなんて光景は、いまでは、見たくても見られやしないのだ。

2

子ども捜しは夕方までつづけられたが、手がかりはまったくなかった。二十一人が、蒸発したように忽然《こつぜん》と消えてしまったのである。

「こうなったら、電車に乗って、遠くへ行ったとしか考えられないわね」

だれかが言った。もしそうだとすれば、二十一人もの中学生が切符を買って改札口を通ったのだから、いくら忙しい駅員でも覚えているはずだ。

中学校からいちばん近い駅はK駅である。ここは常盤線《じょうばんせん》、東武伊勢崎線《とうぶいせさきせん》、地下鉄千代田線《ちよだせん》、日比谷線《ひびやせん》が通っている。

そこよりやや南に京成電鉄《けいせいでんてつ》のS駅がある。西へ隅田川を渡って行くと、少し遠いけれど京浜東北線《けいひんとうほくせん》、東北本線《とうほくほんせん》のD駅がある。

母親たちは駅という駅は全部あたってみた。しかし、どの駅にも立ち寄った形跡はなかった。

「じゃ、車かしら」

二十一人が一度に移動するとしたら、バスか、それともタクシーに分乗したのか。バスの方は営業所に問い合わせてみたが、中学校の近くのバス停で、二十一人もの中学生が乗った事実はないという証言を得た。

タクシーで行ったとすれば、これはわからない。とにかく、夜になっても帰ってこないようだったら異常事態と考えていい。そのときは警察に届けようということで意見が一致し、それぞれの家に戻った。

相原進学塾の電話が鳴ったのは午後七時だった。園子が飛びつくようにして受話器をとった。いきなり男の声がした。

「こんや午後七時からFM放送を行なう。ダイヤルを八八メガヘルツに合わせろ。いいか、八八メガヘルツだぞ」

書いたものを読んでいるような無機質な声。

「もしもし、あなたはだれ？　徹はどこにいるの？」

園子は、受話器に向かって喚《わめ》くように言ったが、なんの答えも返ってこないまま切れてしまった。

しばらく電話機の前で放心したように座っていると、また電話が鳴った。反射的に受話器に手を伸ばして耳にあてる。

「私、菊地。いまおたくにFM放送を聴けって電話なかった？」

詩乃の声は、途中でかすれた。

「あったわよ」

「何かしら？」

「さあ。なんのことだかさっぱりわからないわ」

「身代金《みのしろきん》の要求じゃないかしら」

「だって放送するんでしょう。そんなことしたら、みんなに聞かれちゃうじゃない」

「そうじゃないの。FMの八八メガヘルツというのはミニ放送で、この近くの人しか聞こえないの。おそらく、私たち以外聞いている人はいないわ」

そういえば、最近若者たちの間で、音楽やおしゃべり番組を流す、ミニ局が流行《はや》っているということを聞いたことがある。

「でも、それだけで誘拐されたとは限らないわよ」

「あなたは楽天的すぎるわ」

「うちなんて食べるだけがせいいっぱい。身代金なんて言われたって、ビタ一文出せやしないわよ」

「そんな言い方しないで」

詩乃は怒ったように電話を切ってしまった。

「なんだ、なんの電話だ？」

夫の正志《まさし》が不安そうな顔を見せた。園子は電話のいきさつを正志に話した。

「ひょっとすると、二十一人は人質《ひとじち》にとられたかもしれんな」

「子供ジャック？」

「そうだ。身代金は一人一人ではなく、二十一人まとめて、とんでもないものを要求してくるかもしれんぞ」

「でも、みんな無理矢理つれ去られたのではなさそうよ」

「そんなことは簡単さ。子どもなんて面白いことを言えば、けっこうついて行ってしまうもんだ」

正志は、いつになく厳しい表情をした。

「中学生よ」

「中学生だろうと、高校生だろうと問題じゃない。このところ静かだったから、もうそろそろ動き出してもいいころだ」

「何が言いたいの？」

「どのセクトかってことさ」

「それはないわよ」

正志ときたら、まだ全共闘時代の亡霊にとりつかれている。

「考えるのは、放送を聴いてからにしよう」

二十分ほどして、詩乃からまた電話があった。

「全員に例の電話があったらしいわ。七時の放送を聴いたら、あなたのところに集まって対策を検討したいんだけれど、教室空《あ》いているかしら」

「ええ、いいわ。こんやはお休みだからどうぞいらしてくださいな」

園子は時計を見た。七時まであと八分。いったい何を言い出すのか。考えると胸が苦しくなってきた。

七時三分前に、ラジオのダイヤルをFMの八八メガヘルツに合わせた。まだなんの音もしない。

園子は、デジタル時計の変化する数字を追いつづけた。七・〇〇。

突然、ラジオから音楽が流れ出した。ひどく陽気で騒々しい曲だ。

「何？　これ」

「こいつはアントニオ猪木のテーマ『炎のファイター』だ」

「猪木って、プロレスの？」

「うむ」

正志はうなずいた。正志も徹もアントニオ猪木のファンで、この中継のときだけは、二人並んでテレビにかじりついている。

――それにしても、なんだってプロレスなのだ。

音楽のボリュームが落ちた。
「みなさんこんばんは。ただいまから解放区放送をお届けします」
またもや『炎のファイター』。それにかぶせるようにして詩の朗読が聞こえてきた。
「生きてる　生きてる　生きている
つい昨日まで　悪魔に支配され
栄養を奪われていたが
今日飲んだ〝解放〟というアンプルで
今はもう　完全に生き変わった
そして今　バリケードの中で
生きている
生きてる　生きてる　生きている
今や青春の中に生きている」
「日大全共闘じゃないの」
園子は思わず大声を出した。正志も表情を硬《かた》くして、宙の一点をにらんでいる。
――日大全共闘
それを口にするだけで、園子は胸が熱くなってくる。その思いは、正志も同じにちがいない。

あれは、一九六八年五月のことであった。約二千人の学生が、神田三崎町《かんだみさきちょう》の経済学部一号館前に集まり〝二〇〇メートルデモ〟を、日大生としてはじめて行なった。これが日大闘争のはじまりである。

翌六月には全学総決起集会が日大本部前で行なわれ、約八千名の学生が結集。そこに体育系学生や右翼グループが襲撃、多数の負傷者が学生側に出た。

これがきっかけとなり、経済、法学、文理、芸術、農獣医、理工学と全学部が無期限ストライキに入り、バリケードを築いて校舎を占拠、中に立てこもった。

夏休み明けの九月になると、占有排除仮処分の強制執行によって、八百名の機動隊により、各学部のバリケード封鎖は解除された。しかし学生側はこれに激しく反撃、ふたたび経済、法学部校舎を占拠、バリケード封鎖した。

そして九月三十日午後三時、両国講堂に三万五千人の学生が集まり、古田会頭以下全理事を壇上にすえて大衆団交が開かれた。団交は翌日午前三時まで約十二時間つづけられ、学生側の圧倒的な勝利となった。

日大全共闘結成約一か月後の七月五日、四千名の学生が安田講堂に結集、全学総決起集会が開催され、その場で〝東大闘争全学共闘会議〟が結成された。

東大、日大を中心として、徐々にうねりをたかめつつあった全共闘運動は、一九六九年一月の東大安田講堂攻防戦にいたって、一挙に頂点に登りつめた。

一月十八日、大学側の要請をうけた八千五百人の機動隊は、東大構内に突入、校舎の封鎖をつぎつぎに解除していった。

最後に残ったのは安田講堂であるが、本格的な攻撃は午後三時過ぎからはじまり、夕闇《ゆうやみ》が迫った午後五時半ごろ、その日の攻撃は中止となった。

翌十九日、午前七時に攻撃を開始。午前八時、機動隊は電気ドリル、切断機をつかってバリケードを破り、十二時三十分には二階まで侵入。二時五十分には四階まで制圧した。

午後五時四十分。ついに講堂時計台屋上に突入、全員を逮捕。屋上の赤旗をはずした。この日安田講堂で逮捕された学生は三百七十四人であった。

一月十八、十九日の東大安田講堂の攻防戦を支援し、それに呼応するかたちで展開されたのが、神田解放区闘争。いわゆる神田カルチェ・ラタンである。

これはその年の五月、フランス五月革命の発生地パリのカルチェ・ラタンを擬《ぎ》して、東京の文京区《ぶんきょうく》、千代田区《ちよだく》一帯の大学街をさしたものである。

神田解放区闘争は、街頭にバリケードを築き、闘いを市街にまで押しひろげようとするものであった。

十八日の午前十一時ごろから、東大の急を聞きつけた学生たちが、武装デモで続々と神田に結集、交番を襲撃した。

午後二時ごろには、国電お茶《ちゃ》の水《みず》駅前の道路上にバリケードを築き、東大から転進してきた機動隊に対して、激しい投石を行なった。交通は完全に麻痺《まひ》状態となり、その日の混乱は七時過ぎまでつづいた。

翌十九日、前日からの熱気のまま、集会、デモ、機動隊との衝突がくりかえされ、神田地区一帯にバリケードがつくられ、神田解放区は終日、学生、労働者、市民であふれた。

ようやく解散したのは、夜九時半過ぎであった。

園子は正志より二年後輩で、日大闘争のはじまった年に入学した。はじめのうちは、その激しい闘いにどういう意味があるかわからなかったが、ある日正志にオルグされ、なんとなく運動に入って行った。

バリケードの中に立てこもり、デモをし、機動隊に追われ、街頭カンパをしているうちに、自分が確実に変っていくのを自覚した。かつて、こんなに自分が燃えたことはなかった。まるで、熱にうかされたような毎日であった。

正志が逮捕され拘留されたとき、園子は留置場へ差入れに通った。それから数か月、やっと釈放されたときは、新安保条約は自動延長され、あの激しく燃えあがった全共闘運動は失速していた。やがて運動も解体した。

その年二人は結婚した。もう大学へ戻る気はしなかった。といって就職するところもない。食うために、二人でささやかな学習塾をはじめた。

徹が生まれたのはその翌年のことである。

いまこのFM放送は、はっきり解放区と言い、日大全共闘の詩を朗読した。まるで、十六年前の亡霊が、突然さまよい出たような衝撃だった。

「こんばんはこれで終り。あすも午後七時から放送しますから、ぜひ八八メガヘルツにチャンネルを合わせてください。ではおやすみなさい」

放送は唐突《とうとつ》に終ってしまった。

「おい、これは徹の声じゃないか」

正志が、大きな声でどなった。

「まさか……」

「いや、まちがいない。たしかに徹だ」

正志と目が合った。その目が激しく揺れている。たしかに、これは紛《まぎ》れもない徹の声だ。

「どうして徹が……?」

「わからん」

「脅迫されて、喋《しゃべ》らされてるんだわ。そうよ、きっとそうよ」

園子は、自分に言い聞かせようとした。しかし、何かがおかしい。それは、この底抜けの明るさなのだ。

3

相原徹は、送信機のスイッチを切って、

「どうだった？」

とみんなの顔を見た。

「ちょっと、固くなってたみたいだったぜ」

英治は、固くなっているのは、自分だって同じだと思いながら言った。

「とうとうやったぜ」

宇野秀明《うのひであき》が、うわずった声で言った。

「シマリスちゃん、おっかねえのか？」

安永宏《やすながひろし》が、挑発《ちょうはつ》するように宇野の顔をのぞきこんだ。シマリスというのは、小さくて臆病《おくびょう》で、いつもちょこまかと動く宇野のあだなである。

「おっかねえもんか」

一四五センチの宇野は、一七〇センチの安永を、見上げるようにしてにらんだ。

部屋《へや》は、もと事務室だったらしく、スチールデスクが二十ほど、ほこりをかぶって並んでいる。その上にろうそくが三本立っているだけだから、顔はほとんど影になって見えない。

「無理すんなよ。声がふるえてるぜ」

みんな、火がついたように笑い出した。

「からかうなよな」

日比野が言った。日比野は一六〇センチ、七〇キロ、宇野の体重の倍はある。いつもおとなしくて、カバというあだなの日比野が、副番の安永に、こんな口の利《き》き方をしたことに、みんな一瞬しんとなって成り行きを見守った。

「なんだカバ。おれにインネンつけようってのか？」

安永は、すごんでみせた。

「インネンつけるわけじゃないさ、こわいのはみんな同じなんだ」

日比野は、ゆっくりとした口調で言った。

「おもしれえ、受けて立つぜ」

安永は、ボクシングのファイティングポーズをとると、日比野にこいと手招きした。それが、ろうそくの炎で、壁に大きな影を映した。英治は息をつめた。

「デスマッチ、一本勝負。時間無制限」

天野《あまの》が、リングアナウンサーみたいな大声を出した。将来スポーツアナウンサーを目指している天野は、特にプロレスの実況中継が得意である。

「二人とも、どうかしてんじゃねえのか」

相原が二人の間に入った。

「おれたちがけんかする相手は、おとなだってことを忘れちゃ困るぜ」

「そうか……。そうだったよな」

安永は、照れくさそうに、ファイティングポーズをやめた。

安永のことだから、このままではすまないと思っていたのに、意外にあっさりと引き下がったことで、英治は肩の力が脱《ぬ》けた。

「二人とも握手しろよ」

相原が言うと、安永は素直に手を差し出した。

「わるかった。かんべんしてくれよな」

日比野は、その手をおずおずと握りながら、

「おれも、ちょっと変だったよ」

「ちえッ。世紀の決戦の実況放送をやってやろうと思ってたのに」

天野は、いかにも残念そうな顔をした。

その一言で、それまでの緊張がとけたのか、みんなはじけたように笑い出した。

「いいかみんな。ここはおれたちの解放区。子どもだけの世界だ。楽しくやろうぜ」

相原が言うと、全員が「おーう」と叫びながら、拳《こぶし》を突き上げた。

英治は、なんだかしらないけれど胸が熱くなった。

六月の初めのことだった。クラブ活動のサッカーを終えた帰り道、並んで歩いている相原が英治にぽつりと言った。

「おれたちの解放区をつくるんだけど、お前も参加しねえか」

「解放区？」

英治は、自分より五、六センチ上背のある相原を、ちょっと見上げるようにした。

「解放区ってのはだな……」

夕陽に向けた相原の顔が、燃えそうに赤い。

「おれたちがまだ生まれる前、大学生たちが権力と闘うために、バリケードで築いた地域のことさ」

「お前、どうしてそんなこと知ってんだ？」

「おれのおやじとおふくろは、安田講堂に立てこもって、機動隊と闘ったんだ。お前んちのおやじだって、やったかもしれねえぜ」

「おれ、聞いたことねえな」

「じゃあ、ノンポリだったんだ」

「ノンポリ？」

「お前んちのおやじみたいに、学生運動には無関心だった連中さ。だから、いい会社に入れたんだよ。おれんちなんかその逆で、就職するとこねえから塾をはじめたんだ」

「損したな」

「そうでもねえみたい。でも、本心はどうなのかな、やせ我慢かもしれねえよ」

「権力ってなんだ?」

英治は、相原にばかにされそうな気がしたが、思い切って聞いてみた。

「政府とか警察とか学校とか、要するにおとなたちさ」

「あんまり、よくわかんねえな。それで結局どうなったんだ?」

「そりゃ負けたさ」

「なんだ負けたのか」

英治はがっかりした。

「負けたっていいのさ。やりたいと思ったことをやれば」

相原の顔は、いっそう赤く見えた。

「どうしてだ?」

「お前、セン公とか親とか、おとなたちのやることに満足してるのか?　言いたいことはねえのか?」

「言いたいことはいっぱいあるさ。でも……」

「でも、なんだ?」

「しかたねえだろう」

「しかたねえとあきらめるのか?」

「だって、おれたちゃ子どもじゃんか」

「子どもは、なんでもおとなの言うことを聞かなくちゃなんねえのか?」

相原に、こういうふうにたたみかけられると、英治は、なんと答えていいかわからなくなる。

「おれたちだって、力を合わせればおとなと闘えるさ」

「そうかなあ」

英治には、とてもそんな自信はない。

「そうさ。解放区はおれたちの城さ」

「そこで何をやるんだ?」

「子どもたちだけの世界をつくるんだ」

「そんなことして、おとなたちが黙ってるかな?」

「黙ってねえさ、攻めてくるだろう。そうすりゃ追っぱらえばいいじゃんか」

「ヤバクねえか?」

「ヤバイさ。だからおもしろいんだ」

相原の目が、きらきらと輝いている。

「やるか?」

英治は、夕陽に目を向けた。眩《まぶ》しくてすぐ目を閉じた。まぶたの裏で火花が散った。なんだか、すばらしいことが起こりそうな予感がする。しかし、同時にヤバイことも起きそうで不安だ。

「びびってんのか？」

「ちがう。考えてんだ。中学に入ってから、おもしろいことねえもんな」

「これからだってねえさ。だんだん、わるくなるばっかりだ」

「やるのは、いまでなくちゃいけねえのか？」

「いましかねえ」

「ほかに、だれがやるんだ？」

「お前がはじめてさ。お前がいやだって言えば、この計画はパーだ」

「おれのほかに、だれをさそうつもりなんだ？」

「一年二組の男子全員さ」

「それは無理だよ」

「どうして？」

「そんなことやってたら、絶対偏差値が下がっちゃうじゃんか。やる奴《やつ》は、どうみたって半分だな」

「半分じゃだめだ、全員でなくちゃ」

「やるのはいつだ？」

「一学期が終ったらすぐだ」

「夏休みか……」

「何か予定があるのか」

英治は、母親の詩乃の顔を思い出した。このあいだ、夏休みになったら家族三人で、軽井沢へテニスをしに行こうと言われたばかりだ。すっぽかしたらなんと言うだろう。

「こっちの方が絶対おもしろいぜ」

相原に見つめられて、英治は反射的にうなずいた。

「よし、じゃあ決まった。あとは二人で手分けして、みんなを仲間にさそおうぜ」

相原の顔がすっかり明るくなった。

「解放区の場所はどこなんだ？」

「ほら、荒川の河川敷《かせんじき》に区営グランドがあるだろう。あそこから見える荒川工機って会社さ」

「会社なら社員がいるじゃんか」

「それが、だれもいねえんだよ」

相原は、にやっとわらった。

「どうして？」

「一か月前につぶれたんだ。この間、塀《へい》を乗りこえて中にもぐりこんで調べてみたのさ。あそこなら、すげえ砦《とりで》になるぜ」

――砦

インディアンに取り囲まれた砦、その猛攻の前に、味方はばたばたと倒れてゆく。もうだめかと思ったとき、はるか地平線の彼方から姿をあらわす援軍の騎兵隊。

西部劇でよく見るシーンだが、こんどの場合、はたして援軍はやってくるのだろうか。

「いつまで立てこもるんだ?」

「一週間はもつと思うぜ」

「食糧はどうするんだ?」

「それまでに、こっそり運びこんでおくのさ。あそこは、電気はつかねえけど水は出るから、携帯用のガスコンロを持って行けば、ちゃんと暮らせるさ」

「電気がないっていうと、夜は真っ暗か?」

「キャンプに行ったと思えばいいだろう」

「おもしろくなりそうだな」

「おれたちだけで暮らしてるのがどんなに楽しいか。それを、毎日解放区放送で流してやるのさ。みんな、うらやましがるぜ」

「解放区放送?」

「ほら、FMのミニ放送局があるだろう。あれさ。あれなら、別に電気はなくても放送できるじゃんか」

「セン公やおとなたちの悪口も言おうぜ」

「もちろんさ」

英治は、胸がわくわくしてきた。


決行日の一週間前、七月十三日午後七時半。

曇っているせいか、月も星もない夜だった。

荒川河川敷の区営グランドに集まった男子生徒は、何度数え直しても二十二人全員であった。

「信じられねえなぁ」

英治は、相原と顔を見合わせた。相原は、大きくうなずいたまま何も言わない。きっと、感動のあまり、声が出ないにちがいない。

相原と英治が、手分けしてみんなをさそったとき、いやだと言う者はいなかった。しかし、そうは言っても実際にくる者はきっと減るだろうと思っていた。

それが全員集まるとは。

「みんな、ちょっと聞いてくれ」

相原が、黒い影のような塊《かたまり》に向かって話しかける。

「この中に無理して参加してるのがいたら、やめてもらってもいいんだぜ。それだからって、おれたちは仲間はずれには絶対しねえから」

「無理なんかしてねえよ。やりてえからやるんだ」

黒い塊のあちこちで、そんな声がした。

「勉強がおくれるかもしれねえぜ」

英治が言った。

「いいって、いいって」

すかさず、だれかが言った。

「セン公ににらまれるぜ」

「セン公なんてメじゃねえよ」

「おふくろが泣くぜ」

「勝手に泣きゃいいだろう」

「よし。じゃあこれから一週間の間に、籠城《ろうじょう》に必要なものを運びこむことにする」

相原は、ズボンのポケットから手帳を取り出すと、水銀灯の明りにかざした。

「まず第一に食糧品だけど、これは各自が一週間分持ってくること」

「そこ、冷蔵庫あるのか？」

日比野が言った。

「あるわけねえだろう。電気もつかねえんだから、持ってくるのは米と乾パン。それに缶詰《かんづめ》だ」

「缶詰なら、おれんちにいっぱいあるぜ」

柿沼が言った。

「そうか。お前んちは医者だから、みんなが持ってくるんだな」

「そうさ。段ボール箱の二つや三つなら、持ち出してもわかんねえよ」

「よし、そいつはいただきだ。ほかにも、家にあまってるものがあったら持ってきてくれ。食糧品のほかに、やかん、なべ、皿《さら》、携帯こんろ、しょうゆ、砂糖、塩なんかもいる」

「風呂《ふろ》はもちろんねえだろうな」

「風呂はねえけどシャワーはある」

「えッ？　ほんとか？」

「ただし、水だ」

「なあんだ」

「そうだ。石鹸《せっけん》も持って行こう」

「運びこむのはどうするんだ？」

「ほら、あそこに塀が見えるだろう？」

相原は、堤防に並ぶ工場の一つを指さした。

「あれが、おれたちの解放区だ。あの塀から入れるんだ。ただし、これはセン公にもおとなにも秘密だからな。気づかれないように行動してくれよ。もし、持ち出すのがばれても、解放区のことは絶対に言うな」

「わかってるって。だけど、女子は知ってるぜ」

日比野が言った。

「女子には話した。それはこういうことなんだ」

相原は、額の汗を腕でこすった。

三日前のことである。相原と英治がサッカーの練習を終えて帰りかけたとき、水泳部の中山ひとみがやってきて、

「男子だけで何かしようとしてるでしょう？　おしえなさいよ」

と言った。

「なんにもしねえよ。なあ」

相原は、英治の顔を見て言った。

「あなたたちがこそこそ動いてること、あたしたちにはちゃんとわかってるんだからね」

「それは、夏休みに遊ぶ計画さ」

「じゃ、あたしたちも仲間に入れてよ」

いつの間にやってきたのか、堀場久美子《ほりばくみこ》がうしろにいた。久美子はスケ番である。

「女たちは入れられねえよ」

「どうして？ 入れない理由を言いなよ」

「それはちょっと……」

「言えないんならいいよ。そのかわりあたしたちは、男子生徒がおかしなことやろうとしてるって、セン公にチクるからね」

「密告はきたねえぜ」

「じゃ、言いなよ」

相原は、空を見上げてから大きく息を吸いこんだ。

「言ってもいいけど、絶対秘密を守ってくれるか？」

「あったりまえじゃん。裏切ったら髪を切ってもいいよ」

久美子は髪を切り落とすまねをした。

「じゃ言うぞ」

相原は、覚悟を決めたように、解放区計画を話した。二人は息をつめるようにして聞いていたが、

「楽しそうじゃん。あたしたちも仲間に入れて」

「だめだよ。男と女がいっしょに立てこもったら、おとなたちはなんて言うと思う？」

「不純異性交遊？」

「それだけで、文句なしにパクられちまうぜ」

「それはそうかもしれないけど、あたしたちをシカトするなんて許せないよ」

シカトとは無視することである。

「シカトはしねえさ。女子にもやってもらいたいことがあるんだ」

「何よ」

「おれたちが中に立てこもるだろう。すると外の様子がわからねえ。それをおしえてもらいたいのさ」

「どうやっておしえるの？」

「それは、あとで考えるよ」

二人は、それで納得して帰って行った。

「女たちにしゃべって、秘密が洩《も》れねえか」

と安永が心配そうに言った。

「大丈夫さ。あいつらは信用できる」

「そりゃ、中山と堀場は信用できるけど、女ってのはいい子ちゃんが多いからな。チクルかもしれねえぜ」

「それはおれも考えたさ。だから話すのは、橋口純子《はしぐちじゅんこ》だけにしといてくれと言っといた。といっても、秘密にしておくのは、おれたちが解放区に立てこもるまでの間だ」

「入っちまえば、秘密もくそもねえか」

「そうさ」

相原はうなずいてから、

「谷本、お前は外にいてくんねえか？」

と言った。

「どうして？」

谷本は、眼鏡を押し上げるようにして言った。

「お前は、まだからだが直っちゃいねえじゃんか」

「もう大丈夫さ。ほら」

谷本は、松葉杖《まつばづえ》を脇に置いたまま、ふらふらと立ち上がった。

「わかった。お前に外にいてもらいたいのは、からだのことだけじゃねえ。ほかにもやってもらいたいことがあるんだ」

相原は、谷本を座らせた。

「なんだ？」

「お前はエレクトロニクスの天才だ」

「天才はオーバーだよ」

谷本は、照れくさそうにぼそぼそと言った。

「謙遜《けんそん》するなよ。お前はパソコンのソフトだってできるんだろう?」

「それはそうだけど、やさしいやつさ」

「やさしくたってすげえよ。なあ」

相原が言うと、みんなうなずいた。谷本が一週間に二回は秋葉原《あきはばら》に通って、パソコンをいじっていることはみんな知っている。谷本の勉強部屋ときたら、電気製品で埋まっている。だから、彼のあだなはエレキングという。

将来はコンピューターを研究したいと言っているが、もしかすると、ノーベル賞くらい取れるかもしれない。

「おれたちは、お前がつくってくれたFM発信機で、あそこから解放区放送をやる」

「電気もないのに、放送できんのか?」

日比野が聞いた。

「あんなものは電池でできるさ。ただし、一〇〇メートルしか届かない」

谷本は、まるで技師みたいな口の利《き》き方をする。

「それは聞いたよ。だから、一〇〇メートルの間隔で、その放送を受けて、もう一度発信すれば、大きなネットができるんだろう?」

「そういうことになる」

「どうやってやるんだ？」

安永が聞いた。

「女子にやってもらうのさ。といっても、彼女たちはどうやっていいかわかんねえと思うんだ。そこでエレキングが必要なんだよ」

相原がそこまで考えていたとは、英治にとって驚異であった。とてもかなわないと思った。

「わかった。だけど、それだけじゃかったるいな」

谷本は、不満そうな顔をして見せた。

「もちろん、やってもらいたいことはまだあるさ。おとなたちの様子をさぐって、こっちへ報告してもらいたいんだ」

「そんなことは簡単だ」

「さぐるって、盗聴するんだぜ」

「ああ、わけないよ」

谷本は、いとも簡単に言った。

「よし。これでおれたちは安心して籠城できるってもんだ。じゃあ、たのんだぜ」

「ああ、まかしとけ」

相原は、谷本とがっちり握手した。

4

「柿沼の野郎、とうとうこなかったじゃんか」

安永は、英治にはっきりと非難の眼差《まなざ》しを向けた。まるで、お前責任を取れよと言っているみたいなので、つい、目をそらしてしまった。

「あいつは、裏切るような奴じゃないんだけどな」

知らずに声が小さくなる。柿沼直樹《かきぬまなおき》の家は産婦人科の病院をやっている。英治はそこで生まれたのだが、同じ日に直樹も生まれた。

誕生日がいっしょだというせいもあって、直樹とは幼稚園以来の親友である。将来医者になることを運命づけられている直樹は、小さいときから塾や家庭教師で勉強したので、成績は英治よりはるかにいい。

解放区には、おそらく参加しないと思ったのに、一も二もなく賛成した。あんまり張り切り過ぎるので、英治の方が心配になってきたくらいだ。その柿沼が……。

「じゃ、どうしてこねえんだ?」

「それは……」

そんなこと、英治にも答えようがない。

「もしかしてあいつ、親たちにチクっていねえかな」

「それは絶対にない。信じてくれよ」

英治は、必死になって柿沼をかばった。みんなの顔がろうそくの炎に揺れて、なんだか別人になったみたいに意地わるく見える。

「まあいいさ。こない奴はしかたねえ。それより、もうそろそろ八時半だろう。橋口純子から連絡がある時間だ。屋上に上ろうぜ」

相原が助け船を出してくれたので、英治はやれやれと思った。

相原はろうそくの火を三本とも吹き消した。部屋の中が真っ暗になって、何も見えなくなった。一分、二分。目が闇《やみ》になれてくると、みんなの姿がぼんやりと見えはじめた。しかし、顔はわからないので、なんだか変な気持ちだ。

「足もとに気をつけて、ゆっくり歩け」

相原の声がしたかと思うと、肩に大型のスポーツバッグをひっかけて、そこだけ切り取ったように明るい、窓に向かって歩き出した。英治はすぐあとにつづいた。

「懐中電灯をつかえばいいじゃんか？」

だれかが言った。

「だめだ。闇になれるんだよ。懐中電灯をつかうのは、どうしても必要のときだけだ」

窓際まで行った相原は、手さぐりでドアーをあけた。

「ここは非常口だ。ここから非常階段で屋上まで上るけれど、急だから一人ずつゆっくりこいよ」

英治は、相原につづいて外へ出た。外の方が生暖《なまあたた》かい。このビルは四階で、いまいる事務室は二階にあるので、下へ降りる非常階段ははね上がっている。

空は街の明りを反映してか意外に明るい。非常階段に足を乗せると、きしんだ音を立てた。

「痛えッ」

うしろでだれかの悲鳴がした。

「どうした？」

相原が聞いた。

「椅子《いす》をひっかけてころんじゃったんだよ」

「だから気をつけろと言っただろう。これからは、何があっても大きい声を出すなよ。外に聞こえるとヤバイからな」

相原は、早いスピードで上って行く。みる間に三階の踊り場を通り過ぎた。四階の踊り場までやってくると、立ち止まって下を見おろした。英治もそれにならった。

みんな黙々として上ってくる。まるで樹の幹を登る蟻《あり》の列のようだ。

屋上は、バレーボールができそうな広さだった。周囲は高さが一メートルくらいの鉄柵《てっさく》になっている。

両隣は工場で、東側にK駅があり、繁華街になっている。ここからだと、一キロ以上あるはずなのに、光の海がすぐ近くに見える。

南側は隅田川があるはずなのだが、隣の工場の屋根が、すっかり蔽《おお》い隠してしまっている。

西側も工場が立ち並んでいるが、その建物の間から、隅田川の川面がわずかに光っている。

北側にまわった。ここからは荒川の河川敷が一望に見おろせる。すぐ右下に見えるのがN橋。車のライトが、いつ途切れるともなくつらなっている。

「おい、合図してるぞ」

英治が指さす方をみんなが見た。河川敷にあるグランドの中央あたりで、ライトが明滅している。

相原は、持ってきたスポーツバッグからトランシーバーを出すと、アンテナを伸ばし耳にあてた。

「こちらナンバー1《ワン》、どうぞ」

「了解。こちらナンバー33《スリー・スリー》。解放区放送よく聞こえました。どうぞ」

ナンバー1というのは相原の番号で、33は橋口純子である。純子の声は、ボリュームをいっぱいに上げても聞きとりにくい。英治は、トランシーバーに顔を寄せた。

「そちらの反響を聞かせてください。どうぞ」

「その前に聞きますが、柿沼君そっちにいますか？　どうぞ」

「いません、どうぞ」

「やっぱり……」

純子の声が途切れた。

「もしもし、柿沼がどうしたんですか？　どうぞ」

「柿沼君は誘拐《ゆうかい》されたんです」

「柿沼が誘拐された……？」

相原が大きい声を出したので、みんながいっせいに注目した。

「ほんとか？　どうぞ」

「ほんとよ。うちのママが柿沼君ちへ入院してるでしょう。いま大騒ぎよ」

「なんだ、また子どもが生まれるのか？」

「そうよ」

「何人目だ？」

「七人目」

「うへぇ」

「おどろくでしょう。うちのパパとママは神さま信じてるから、できた子どもは絶対おろさないのよ」

「じゃ、まだ生むつもりなのか？」

「うん。兄弟で野球チームをつくるんだっていうから参っちゃうんだ」

橋口純子の家は、来々軒という中華料理屋である。中華料理といっても、できるのはラーメン、チャーハン、ギョーザくらいのものである。

兄弟の多い純子は、普通の家みたいに正月や誕生日におこづかいはもらえない。おこづかいが欲しければ労働をしなければならない。

長女の純子は、学校から帰るとすぐ店に出て働く。出前にも行くし、赤ん坊のおむつも替える。掃除や洗濯《せんたく》はお手のものだ。

働くことが何より好きな純子は、高校へは進学せずに家で手伝うのだそうだ。いつも勉強に追い立てられ、偏差値が頭から離れない英治を、かわいそうだと言ってくれる。純子と話していると、気持ちがのんびりして明るくなる。だから彼女が好きだ。

英治は相原の脇腹《わきばら》をつついた。

「柿沼が誘拐されたことがどうしてわかったんだ？　どうぞ」

「身代金《みのしろきん》を寄こせっていう電話がかかってきたんだって」

「いくらだ？　どうぞ」

「千七百万円」

「ずいぶんはんぱだな」

「払わなければ殺すってさ」

「殺す？」

相原の顔がこわばった。英治も首筋に鳥肌《とりはだ》が立ってきた。

「そうよ。ひどいでしょう」

「警察には言ったのか？　どうぞ」

「まだみたい」

「どうして？」

「あなたたち男子生徒全員がいなくなったでしょう。だからみんなで騒いでたのよ、そこへ誘拐だっていうんで、全員が誘拐されたと思ってるようよ」

「おれたち全員が誘拐されたって？　笑わしちゃいけねえぜ」

みんなが、肩をたたきながら笑いころげている。

「みんな笑ってるみたいね。だけど、こっちは笑いごとじゃないのよ。どうする？」

「どうするって、いまさら中止するわけにはいかねえよ。解放区に立てこもったばかりだから。あしたの放送で、おれたちは関係ないことを言やいいんだろう？」

「そうだけど、柿沼君どうする？」

「どうするって言われてもなあ」

「このまま、ほうっておくつもりなの？　どうぞ」

純子の声が険《けわ》しくなった。

相原が言いよどんでいると、「助けてやろうぜ」という声がした。とたんにみんなが、「そうだ、そうだ」と口ぐちに言い出した。

「どうするか、これから方法をみんなで相談するよ」

「いいわよ。柿沼君のことはあたしたちにまかせて」

「あたしたちにって、女子にか？」

「そうよ。あたしたちだって、柿沼君が殺されるかもしれないのに、みすみす指くわえて見てられないよ」

「言ってくれるぜ。おれ、見なおしたぜ」

「女子だって、やるときはやるんだからね」

「わかったよ。じゃ、あしたの朝八時に連絡してくれないか。どうぞ」

「了解。菊地君に替《かわ》って」

「OK、おい菊地、彼女からだ」

相原は、トランシーバーを英治にわたした。

「もしもし」

「英ちゃん、元気？」

「元気さ」

「頑張ってね」

「うん」

「じゃあ、バイバイ」

純子の明るい声が消えた。もっと話したかったのに、どうしてこんなに早く切ってしまったのだ。

「菊地はいいなあ。心配してくれる彼女がいて」

日比野がうらやましそうに言った。

「彼女がほしかったら、もっと減量しろよ」

安永が言うと、みんながどっと笑った。

「笑ってる場合じゃねえだろう。柿沼は誘拐されたんだぜ」

相原は、きびしい顔で言うと、橋口純子との会話の内容をみんなに説明した。

「おとなってのは、だから信用できねえんだよな。子どもを誘拐して金を奪《と》ろうなんて、やり方がきたねえよ」

安永が、唇《くちびる》をとがらせて言った。

「女子だけにまかしとくのはヤバイと思うぜ」

英治は、しゃべりながらも不安が次第にふくれ上がってきた。

「警察に言ったのかな？」

「わかんねえ」

「ポリ公が動いたらもっとヤバイぜ。テレビで見たけど、そういうとき犯人は、大抵警察に言ったら命はないって言うんだろう」

日比野の顔もこわばっている。

「おれたちで、何かやれねえかな？」

「こんなときに誘拐されるなんて、奴もついてねえよ。おれたちはここから出るわけにいかねえんだもんな」

「おれたちの解放区。一時中止にしたら……」

宇野秀明が、口の中でつぶやくように言った。宇野は、家に帰りたくなったのかもしれない。

「お前、帰りたければ帰れよ」

相原が言った。

「そういう意味で言ったんじゃないんだ」

宇野は、慌《あわ》てて首を左右に振った。

「助ける方法はないことはないさ」

中尾《なかお》和人《かずと》が、落ち着いた声でぽつりと言った。みんなが中尾の方に視線を向けた。

眼鏡をかけて小柄な中尾は、英治と同じサッカー部である。練習は熱心なのだが、もって生まれた運動神経のにぶさのためか、いっこうに上達せず、ドジばかりやっている。

しかし成績の方は、別に塾に行くわけでもないのにトップであった。英治はだから、相原とは別の意味で、ひそかに中尾を尊敬している。

「あすの朝八時、橋口と連絡するだろう。そのときこう言えばいいんだ」

相原は、食い入るように中尾の口もとを見つめている。

「誘拐犯人に金をわたす前に、柿沼が無事でいることをたしかめたい。そのために柿沼の手紙をほしい。そう言えば、犯人だってきっと柿沼に手紙くらい書かせてくれると思うんだ」

「手紙に何か書こうとしたって、犯人もちゃんと調べるだろう」

「そりゃもちろんさ。だけど柿沼のことだから、手紙をよこせと言えば、犯人にはわからない暗号で書いてくるはずだ」

「そうか、そういえば柿沼は暗号の天才だった」

英治は思わず手をたたいた。

「ほかに、だれかいい案があるか？」

相原は、みんなの顔を見わたした。

「中尾の案でやってみようぜ」

英治が言うと、みんながそれに賛成した。

「じゃ、そうしよう」

「みんな、空を見てみろ。星がきれいだぜ」

立石剛《たていしつよし》がだしぬけにそう言うと、仰向けにひっくりかえった。つられて英治も、仰向けになって空を仰いだ。英治は、このところ星なんて見たこともない。天の川が見えた。首が痛くなったので、立石と並んで寝た。

それがきっかけになったのか、まるでドミノみたいに、みんなつぎつぎとひっくりかえった。

「まず北の空を見ろよ。あそこにあるのが北極星だ。これはだれでも知ってるだろう」

立石の家は三代つづく花火屋で、立石も小学校のときから、父親の花火の打ち上げについて行かされたのだそうだ。

星に強くなったのは、そうやっていつも夜空を見上げていたからで、クラスでは星の王子さまというあだながついている。

「こぐま座はわかるな。それに北斗七星も」

「わかるさ」

あちこちで声がした。

「では南を見よう。銀河の中を見てくれ。真上に近いところでよく光っている星があるだろう?」

「あった」

英治は思わず大きな声を出した。

「あれがはくちょう座のデネブだ。そこから右の方を見ると、やはり光っている星がある。これがこと座のベガだ。わかるか?」

「わかる」という声と、「わかんねえよ」という声が交錯《こうさく》した。

「この二つの星を底辺にして二等辺三角をつくるんだ。光ってる星があるだろう。それがわし座のアルタイルだ」

「わかった。あれだろう?」

英治は手を伸ばして、指さした。

「そうだよ。あの三つの星をつないで、夏の大三角っていうんだ。ほら、七夕《たなばた》で牽牛《けんぎゅう》と織女《おりひめ》ってのがあるだろう?」

「七月七日の夜、二人が一年に一度だけ会えるってあれだろう?」

「その牽牛がアルタイルで、織女がベガさ」

「そうか、あれがそうか……」

星を眺めていると、解放区のことも誘拐のことも、みんな消しゴムで消したみたいに、きれいになくなってゆく。

「やがて、おれたちみんながいなくなっても、星はああやって輝いているんだぜ」

立石が言うと、みんなしんとしてしまった。

背中に触れるコンクリートの暖かさが気持ちよかった。

二日　説得工作

1

英治は、窓の明るさで目がさめた。周囲の様子がいつもと変っている。おやっと思った。

——そうか。ここは家ではなかったのだ。

もとは会議室だったのだろうか。三階にあるこの部屋には、長テーブルと折りたたみ椅子《いす》がいくつもあった。それを全部廊下に運び出し、床《ゆか》にビニールの防水シートを敷いて、そのうえで全員がごろ寝したのだ。

英治にとっても、おそらくみんなにとっても、こういう経験ははじめてである。最初のうちは、背中が痛くてなかなか寝つけなかった。もちろん、はじめて解放区にたてこもった夜ということで興奮もしていた。

解放区より、ブラックホールの方がいいと言ったのは立石だ。プロレス狂の天野は、ワンダーランドの方がいいと言った。安永は荒川城にしろよと言った。

みんなで、夜おそくまでしゃべり合い、そのうち疲れて眠ってしまった。横を見ると、宇野秀明が背中を丸めて、おだやかな寝顔を見せていた。

宇野の過保護ママはクラスでも有名である。みんなに淋《さび》しくないかとひやかされて、遂《つい》に泣き出してしまった。あれは少しかわいそうだった。

不安なのはみんな同じだった。だから宇野をからかって、自分の気持ちをまぎらわそうとしたのだ。

英治は、そっと起き上がって部屋を出た。廊下は薄暗く静まりかえっている。階段を降りる自分の足音がぺたぺたと頼りなく、汚《よご》れたコンクリートの壁にひびく。まるで監獄みたいだ。

外へ出ると明るさが目にしみる。わずかな空地《あきち》を隔《へだ》てて工場がある。この空地がこれからみんなの広場なのだ。

ビルの脇《わき》に消火栓《せん》があって、そこから水がちょろちょろと洩《も》れて、広場のアスファルトにしみをつくっている。

これは防火用の消火栓で、ホースのつなぎ方もわかった。これがあるおかげで、体も洗えるし、炊事《すいじ》もできる。トイレには、バケツに一杯水を入れて持って行くことにした。

英治は、水を両手で受けると顔を洗い、口をゆすいだ。タオルを持ってくることを忘れたので、顔を拭《ふ》くことができない。このまま乾《かわ》かそうと思って、空に顔を向けた。

雲ひとつない空。朝が早いせいか、色はまだ淡いブルーだ。深呼吸をした。だれかが走ってくる足音がした。ふり向くと相原だった。

「もう起きてたのか？」

「目がさめちゃったんで、中をひとまわりしてきたんだ」

相原が、英治に解放区をつくろうと言い出したとき、なんとなくおもしろそうだというので賛成した。仲間をもっとふやそうと口をかけてみたが、集まるのはせいぜい五、六人だろうと思っていたのに、中尾や小黒《おぐろ》みたいに、勉強しか興味がないと思っている連中まで、仲間に入れてくれと言い出した。

そしてとうとう、クラスの男子生徒全員が立てこもるという大袈裟《おおげさ》なものになってしまった。

なぜだろう？　みんな英治と同じように、何かやりたかったのだ。

それがいまはっきりとわかって、みんなは立ち上がったのだ。

——そうさ。子どもはおとなのミニチュアじゃないんだ。自分たちの思いどおりになると思っていたら大まちがいだ。それを、はっきりと思い知らせてやるぜ。

相原の顔は、心なしか蒼《あお》ざめて見える。いくら朝でも、この広い工場の中を、一人で歩くのは薄気味わるかったのかもしれない。

「お前、よく一人で歩けるな。勇気あるよ」

「それがだよ」

相原は、目を大きく見開いて英治を見た。

「どうしたんだ？」

「おれたち、きのうみんなでこの中を見てまわったよな」

「うん」

「そのとき、どこにもだれもいなかったよな」

相原は念を押した。

「いなかった」

「ところが、いたんだよ。人間が……」

相原の頰《ほお》が、緊張のためかぴくりと痙攣《けいれん》した。英治は、顔から血が引いてゆくのが自分でもわかった。

「おどかすなよ」

「おどかしてなんかいねえよ。ほんとなんだ」

相原がこんな真剣な表情をするのははじめてだ。

「うそだと思うなら、いっしょに行ってみるか?」

「いいよ。お前がそう言うなら信じるよ」

英治は、とても見に行く気にはなれない。

「行ってみようぜ。おれもちょっと見ただけで、びっくりして逃げてきちゃっただろう。生きてるか死んでるかもわかんねえんだ」

「死んでる?」

声が勝手にふるえ出した。

「行こうぜ」

相原はそう言うと、先に立って歩き出した。ここで逃げたら、相原に軽蔑《けいべつ》されることは目に見えている。英治はあとにつづいた。

相原は、英治が出てきたビルに入って行く。一階は車庫と製品の積み出しをしていたのであろうか、いまは何もないがらんどうである。前方の入口には、鉄のシャッターがおりているので中は薄暗い。

入口の近くに小部屋があった。もとは守衛の詰所か、それとも宿直室なのか。

「あそこだよ」

と相原は指さした。相原の歩き方が忍び足になった。英治も、音を立てないようにそのあとにつづく。

部屋にはガラス窓があった。相原は顔をつけてのぞきこむと、後ろから近づく英治の頭をかかえるようにして、ガラス窓に押しつけた。英治には、ちょっと高さが足りないので、中が見えない。近くから木ぎれを拾ってきてその上に乗った。

「な、いるだろう」

相原の押し殺した声が耳のはたでした。たしかに男が一人寝ている。

「生きてると思うか、死んでると思うか？」

部屋の中は、外よりいっそう暗く、男の表情も見えない。

「わかんねえ。だけど、きのうここはたしかに見たぜ」

「たしかにいなかったよな」

「そうすると、おれたちが寝てる間に入ってきたんだから生きてるさ」

こんなあたりまえのことが、相原はどうしてわからないのだ。

「それはそうだけど、奴《やつ》はどこから入ってきたんだ？　お前だってわかってるだろう。おれたちがここへ入るときは、縄ばしごを堤防側の塀《へい》にかけて乗り越えてきたんだ」

「ほかに入口があるんじゃねえのか」

「絶対ない。おれは徹底的に調べたんだ」

「おかしいな。じゃお化けか？」

英治は相原の顔を見た。そのとき、乗っていた木ぎれから足がはずれて、派手な音を立てて床に転げた。

「痛えッ」

思わず悲鳴をあげた。相原が指を唇にあてたがもうおそい。

「起きたぞ。生きてる」

「どうする？」

英治は逃げ腰になった。

「会おう」

「みんなを呼んできてからの方がいいんじゃねえのか?」

「大丈夫さ」

相原が言ったとき、ドアーがあいて男が顔を出した。薄汚《うすよご》れてしわだらけの顔。髪は白いのだろうが、いまは灰色になっている。どう見ても浮浪者といった風体《ふうてい》だ。

「お前たち、どこからやってきた?」

意外に穏やかな声だ。

「それより、おじいさんこそ、どこからやってきたんだ?」

相原は胸をそらすようにして、逆に聞きかえした。英治の方は、足が勝手にふるえ出して、止まらなくなってしまった。

「おじいさんだと? お前たちいくつだ?」

「中一だよ」

「中一か。わしにもそのくらいの孫がいる」

「おじいさん、この工場の人?」

「ちがう。関係ない」

「じゃ、どうして泊まってるんだい?」

「泊まりたいから泊まっているんだ」

「家はないの?」

「あるさ、ずっと遠くに」

「どうしてそこに住まないの？」

「息子とけんかして出てきたんだ」

「それからずっとここに住んでるの？」

「そうだ」

老人は、ちょっと淋《さび》しそうに目を伏せた。英治にも静岡におじいさんとおばあさんがいる。

それを思い出して、なんだかかわいそうになってきた。

「だけど、きのうおれたちがやってきたときにはいなかったじゃん」

「きのうは、夜おそく帰ってきたんだ」

「どこから入ってきたの？」

「お前たちこそ、どこから入ってきた？」

「おれたちは、塀を乗り越えたのさ」

「二人でか？」

「ちがう、二十人だよ」

英治は、二十人というところを、ことさらはっきりと言った。

「二十人だと……？」

老人は、口を半《なか》ばあけたまま、二人の顔を見つめた。

「お前たち、ここで何をするつもりなんだ？」

「おれたちの解放区をつくるためさ」

「解放区？」

老人は目をしばたたかせた。

「おとなにじゃまされない、子どもたちだけの城さ」

「そんなこと、おとなが許すわけないだろう。ばかなことを考えるな」

「許さなかったら、戦うだけさ」

「戦うだと……？　勝てると思っとるのか？」

「負けるつもりで戦う奴はいねえよ」

「あきれた連中だな」

警戒的だった老人の目が、すっかり柔和になった。

「おじいさん、どうやって入ってきたのかおしえてくんないか」

相原が食いさがった。

「ついてこい」

老人は先に立って歩き出すと、ビルの外へ出た。そのまま真っ直ぐ広場の隅《すみ》まで行って、マンホールのふたを指さした。

「ここだ」

「ここから入ってきたの？」

「そうだ」

「だって、この下は下水道なんだろう？」

英治が聞いた。

「そのとおり」

「下水道を歩いてくることができるの？」

「できるさ。ここをおりてしばらく行くと本管に出る。そこは立って歩けるほどの大きさだ」

「下水道って、どぶねずみがいるんじゃないのかな」

「そりゃいるさ。猫ぐらいの大きさのやつが」

英治は、もう少しで、声をあげるところだった。

「下水道を通ってどこへ行くの？」

「南へ三〇〇メートルほど歩いて上へあがると、中学の近くにある児童公園の、ブランコの下に出られる」

「ええッ。あのブランコなら乗ったことあるぜ。そういえばマンホールがあった」

「へえ。そんなところへ出られるのか」

相原は、首を振って感心した。

「おじいさん、どうしてそのことを知ってるの?」

「わしは、二十年前までこの会社で働いていたからさ」

「その秘密の抜け穴のこと、おじいさんのほかに知ってる人いる?」

「おらん。あの当時でも知っとるのはわし一人だった。ましていまなんか、だれ一人知るわけないさ」

「そうか。いいことを聞いちゃったぞ」

相原は、両手を握りしめてガッツポーズをとった。

2

起床は六時ということになっていたので、その時間になると、みんなぞろぞろとビルから出てきた。

六時二十分から五十分までは早朝トレーニング。それから十分で朝食を食べ、七時には終るというのが、相原のたてたタイムスケジュールである。

敵と戦うには、まず体力をつけなければだめだ。広場に出てきた二十人は、二列に向かい合って並ぶと、片方が仰向けに寝て、もう一方が足首を押えた。

「では、いまから腹筋運動をはじめる」

サッカー部の相原と英治がリーダーである。

「何回やるんだ？」

全員身につけているのはパンツだけだが、その中でも宇野は、ことさらひょろ長い。その宇野が心細い声で言った。

「百回だ」

「百回？」

肥った日比野は、頭のてっぺんから出たかと思うような声で言った。

「ほんとは二百回と言いたいところだが、みんなまだ素人《しろうと》だからおまけさ」

相原が腹筋運動を二百回やるのはうそではない。腕立て伏せもらくに百回やる。

「ではほじめ。一、二、三、四、五……」

最初の十回くらいはみんな元気がいい。しかし、二十回をこえるともう脱落者が出はじめ、結局七十回で全員ダウンしてしまった。

「しようがねえなぁ。では、つぎは腕立て伏せ五十回」

「冗談じゃねえよ。そんなことしたら、一日でがたがたになっちまうぜ」

腹筋運動八回でダウンした日比野が言った。

「お前が、いちばんやらなくちゃいけねえんだ。さあはじめろ。おい菊地、気を抜いてる奴は尻《しり》を踏んづけてやれ」

腕立て伏せでは、小柄の中尾が意外に強く、最後は一人だけになって、とうとう五十回やってしまった。

「すげえ。お前って勉強ができるだけじゃねえんだな」

日比野が呆《あき》れたように言うと、中尾はすっかり照れた。

「からだが軽いからさ」

そのあと、工場の内側を塀《へい》に沿って五周した。一周が二〇〇メートルくらいあるから、これで約一キロ走ったことになる。

終って広場に戻ると、さっきまで日蔭《ひかげ》だったあたりは、もう半分ほど朝陽が射しこんで、蒸《む》し暑くなりかけていた。

だれも汗びっしょりである。相原は、消火栓《せん》にホースをつなぐと、みんなの頭から水をぶっかけた。

「冷てえ」

悲鳴をあげながら、その場で跳《と》びはねた。

「さてみなさん。お待ちかねの朝食です。料理長《シエフ》は日比野」

日比野はみんなに向かって頭を下げた。

「献立てを言えよ」

「えーと、献立てはフランスパン二切《ふたき》れに、ジャムとチーズ。それにサラミソーセージと二〇〇ccの缶牛乳」

「デザートはなんだ？」

「ミカンの缶詰を二人で一缶。これで終り」

「モーニングコーヒーはねえのか？」

「ぜいたく言うなよ。ここは喫茶店じゃねえんだ」

みんなで運びこんだ食料品は、缶詰、乾パン、インスタント食品など、一か月は十分もつほどの量があるが、無駄にはできない。

運動したあと、みんなで食べる食事だからまずいはずはない。

「宇野、お前牛乳を飲まねえのか？」

日比野は、自分の牛乳を一息に飲み干すと、まだ手をつけていない、宇野の缶牛乳に目をやった。

「おれ、牛乳はあんまり好きじゃねえんだ」

「じゃ、いただき」

言うが早いか、缶牛乳に手を伸ばして、派手な音を立てて飲んだ。

「だれか、残したものがあったら、なんでもいいからおれのところに持ってきてくれ」

日比野は、みんなの顔を見まわした。

「みなさん、アフリカの飢えたカバを救うために、愛のお恵みを」

天野が立ち上がると、帽子をとってみんなの間をまわった。チーズの食べかけやサラミで、たちまちいっぱいになった。天野は、それを日比野のところに持って行った。

「みなさん、ありがとう」

日比野がみるみる平げてゆくのを、みんなは、呆れて声も出さずに眺《なが》めていた。

「さあみんな、腹がふくれたところで話を聞いてくれ」

相原は、すっかりリーダーらしくなった。これは英治にとっておどろきだった。

「一つは、誘拐《ゆうかい》された柿沼のことだけど、これは、どうしてもおれたちの手で救い出したいと思うんだ」

「そうだよ。おとなにまかしといたら殺されちゃうぞ」

「もう殺されてんじゃねえのか」

「縁起《えんぎ》のわるいこと言うなよ」

「柿沼んちはいいよな、千七百万円くらい平気で出してくれるから。おれんちだったら、百万円だってだめだな」

日比野が言った。

「お前なんか、だれも誘拐しねえよ。こんなに食われたんじゃ、もとがとれねえよ」

安永が言うと、みんながいっせいに笑い出した。

「みんな、もう少しマジになってくれよな。柿沼の命がかかってるんだぜ」

相原のひと声で、全員がしゅんとなった。

「だけど、柿沼はいまどこにいるかわかんねえんだろう？　これじゃ助けようがねえじゃねえか」

安永が口をとがらした。

「だからいまのところは、中尾がきのう言ったみたいに、柿沼からの手紙を待つしかねえんだ」

「もし、手紙で何も言ってこなかったらどうするんだよ」

「そのときは、もうアウトだ」

相原は、顔の前に両手で×をつくった。

「それと、柿沼がどこにいるかわかったって、おれたちはここにいるんだろう。それでどうやって助けられるんだ？」

「そのことなんだけど、実はけさ、おれと菊地はここで老人に会ったんだ」

「ここにだれかいたのか？」

相原と英治の顔を、みんなが凝視《ぎょうし》した。

「いたんだよ」

英治は大きくうなずいた。

「だって、きのうはいなかったぜ。なあ」

安永はみんなの方を見て言った。

「そうさ。きのうはいなかった。夜入ってきたんだ」

「どこから？　入口はなかったはずだぜ」

「お化けだあ」

宇野が言った。

「お化けじゃねえ。実は秘密の抜け穴があったんだよ」

相原の顔に注ぐみんなの目が輝いた。

「どこにあるんだ？」

「あそこさ。あのマンホールだ」

相原は、広場の隅にあるマンホールを指さした。

「あのふたをあけて下へおりると、そこは下水道だ。それを南に向かって歩いて行くと、学校のそばの児童遊園地に出られるんだって」

「へえ。こいつはおどろきだぜ」

吉村賢一《よしむらけんいち》が、女みたいに甲高《かんだか》い声を出したので、みんなどっと笑った。

「秘密の抜け穴があったとは、おもしろいことになってきたな」

中尾は、こんなときでも落ち着いている。

「そこで、みんなに考えてもらいたいんだ。その老人をどうするか？」

相原は、順に顔を見た。安永のところまでくると、

「ここは、おれたちの解放区なんだ。おとながいるのはまずいぜ。出て行ってもらおうじゃねえか」

とにべもなく言った。

「だけど、あのじいさん、おれたちがくるより前から、ここを住みかにしていたんだぜ。追い出しちまうってのはどうかな」

「おい菊地、いい子ぶるんじゃねえよ。おれは、じじいとかばばあってのは嫌《きら》いなんだ。汚《きた》ねえつらして、もたもたと歩きやがって、ああいう連中は、世の中から消えちまった方がいいんだ。そのうえ、こんなところに住んでいるとなりゃ浮浪者だろう。ゴミはかたづけた方がいい。きまってるじゃねえか」

安永は一気にまくしたてた。

「たしかにおれたちは、おとなと戦うために解放区をつくったんだ。だけど、老人はおとなとはちがうと思うんだ」

相原の声は冷静である。

「どうちがうんだ？　子どもでなけりゃ、おとなじゃねえのか。な、そうだろう？」

安永に見つめられた宇野は、「うん、そうだよ」と何度もうなずいて見せた。

「あの老人は、息子に家を追い出されたんでここで寝泊まりしてるんだ」

「そりゃ、じじいなんてだれだっていやさ。役立たずで、邪魔になるだけじゃねえか。追い出すのはあたりまえだ」

「人間、年をとればみんな役立たずになるさ。それに、役立たずといや、おれたち子どもだってそうじゃねえか」

「子どもは別さ。親は子どもを育てる義務があるんだ」

「子どもだって、大きくなったら親の面倒を見る義務があると思うぜ」

「それは親によりけりだ。おれは、おやじが弱ってきたら、そのときこそ、こてんぱんにやっつけてやる」

安永の父親は大工だが、酒とばくちが好きで、気の向いたときしか働きに行かない。それで母親が文句を言うと、すぐになぐるということだった。

「やっぱ、老人はおとなとはちがうよ。弱いものいじめはしたくねえな」

立石剛が言った。中尾が重ねて、

「それに、そのじいさんがいなけりゃ、秘密の出口はわかんねえんだろう」

「そうさ」と相原がうなずいた。

「じゃ、じいさんは必要じゃないか。老人の知恵ってのは、ばかにならないもんだぜ」

「よし。じゃあじいさんを追い出さない方がいいと思う者は手を挙げてくれ」

安永と宇野を除く全員が手を挙げた。

「どうだ、安永。賛成してくれるか？」

相原は、安永の顔をのぞきこむようにして見た。

「いいよ。みんながいいっていうなら、おれは反対しねえ」

安永がふてくされたように言うと、宇野も「おれも」とつづけた。全員が拍手した。

「菊地、じいさんをつれてこいよ」

英治は、それを聞くや否や、一散にビルに走りこんだ。一瞬、暗くて何も見えなくなった。ゆっくり歩きながら、

「おじいさん」

と奥に向かって呼んだ。

「なんだ。きまったのか？」

間のびした返事がかえってきた。

「きまったよ。おじいさんもいっしょに暮らしてもらうことになったんだ。ちょっと、みんなに挨拶《あいさつ》してくれない」

英治は、老人を追い出さなくてすんだことで、喜びが胸の奥から突き上げてきて、言葉が途切れがちになる。

「よし、わかった」

老人の姿があらわれた。ゆっくりとこちらにやってくる。

「よかったね、おじいさん」

英治はつい言ってしまってから、これは少し変かなと思った。

ビルから老人が姿をあらわすと、いっせいに拍手がおこった。老人は、いかにも照れくさそうな笑顔を見せた。

「みなさん、わしは瀬川卓蔵《せがわたくぞう》と申します。年は七十歳です。よろしく」

瀬川がひょいと頭を下げると、みんなも、それにつられたように頭を下げた。

「さっき聞いたところによると、諸君はおとなたちと戦《いくさ》をするそうだね」

「ぼくたちは、ここに子どもの解放区をつくったのです。おとなたちが攻めてこなければ戦いません」

中尾が言った。

「おとなたちは必ずつぶしにくる。それはまちがいない」

「ほんとに？」

吉村が不安そうに瞬《まばた》きした。

「攻めてくるとも。連中は、いつも自分たちのやることは正しいと思っとるからな。ところで諸君は、戦《いくさ》をしたことがあるか？　もちろんないな」

みんな、黙ってうなずくしかなかった。

「敵に勝つためには、戦略と戦術が必要だ」

「戦略と戦術とどうちがうんですか？」

日比野が聞いた。

「戦術というのは戦のやり方だ。戦略というのははかりごとだ。わしはこう見えても、若いころほんとうの戦に行ったことがあるから、味方にすればたのもしいぞ」

それまで、しなびたきゅうりみたいだった老人の顔が、一瞬輝いて見えた。

「あんたとおとなとどこがちがうのか。そこんところを説明してもらわねえと、味方といわれても信用できねえんだよ」

安永が、斜にかまえて言った。

「たしかに君の言うとおり、わしも、おとなであることはまちがいない。ただし、わしはおとなの落ちこぼれだ」

「じゃ、おれといっしょじゃねえか」

「そうだ。だから、おとなに対して、君と同じ気持ちになれるんだ」

「そういうことか。わかったよ」

安永は、あっさりと納得した。

「みんな、このわしの左手を見てくれ。それからこの腹を……」

瀬川は、左手を高くさし上げてから、シャツをめくって腹を見せた。左手は四本の指がなく、腹にはひきつれたような痕《あと》がある。

「この指は、戦争に行って、爆弾でふっ飛ばされたんだ。この腹の傷も、そのとき破片があたってできたもんだ」

「痛かっただろうな?」

宇野が眉《まゆ》をひそめた。

「ところが、不思議に痛さは感じないんだ。なんだか、熱い鉄の塊《かたまり》を押しつけられたような感じだったな。そこでふっと見たら、指がなくなってたってわけだ」

みんな、四本指のない手を見つめたまま息を飲んだ。

「しかし、わしはこれでも運がよかったんだ」

「どうしてですか?」

何人かが同時に聞いた。

「その戦闘で生き残ったのは、小隊九十人のうち半分だった」

「あとはみんな死んじゃったの?」

「死んだ。わしは、そのけがで傷痍《しょうい》軍人になって帰ってきたが、そのとき生き残った者は、輸送船でフィリッピンに送られる途中、潜水艦に沈められて全員戦死してしまった」

「全員?」

英治は、喉《のど》に何かがひっかかったような感じになった。

「わしらは、小学校に入ったときから、大きくなったら、お国のために命を投げ出すよう教えられてきた。だから戦争に行くのは当り前と思っていた」

「こわくなかった？」

日比野が聞いた。

「そりゃ、こわかったさ。だれだって、死ぬのはいやだ」

「じゃ、言うことを聞かなければいいのに」

「それができんのだよ」

「どうして？　わかんねえなあ」

吉村がまた甲高い声を出した。

「いまとはちがう世の中だったんだ。二度とあんな世の中にしちゃいけねえ」

「どうしたらいいんですか？」

「えらい奴が、立派なことを言うときは、気をつけた方がいい」

「じゃ、総理大臣が言ったら」

中尾が聞いた。

「あぶねえ、あぶねえ。政治家が子どものことに口出しして、ろくなことはねえ。ほら、最近言ってるだろう。少女雑誌に有害なのがあるとか」

「おれたち、クラスの女の子が持ってくるから、みんなで読んでるけど、あれのどこが有害なのかな」

立石が言った。

「あんなの、どうってことねえじゃねえか。黒人のポコチンが、硬《かた》くて長いってんだろう」

「でかいのは、ビールびんくらいあるんだって」

「ほんとか?」

明るい笑い声が、広場を満たした。

「おとなって、どうして子どもにうるさく言うのかな?」

「そりゃ、いいおとなにしたいからさ」

「いいおとなって何?」

「えらい人の言うことをよく聞く人間だ」

「それがいいおとな? バッカじゃねえのか」

3

八時五分前。

全員が屋上に上った。太陽は、隣のビルから離れて、ぎらぎらと照りつけている。たちまち汗が吹き出してきた。

「おい、あれ谷本じゃねえか」

秋元《あきもと》は、視力が二・〇というだけあって、見つけるのが早い。英治は鉄柵《てっさく》から顔を出した。

たしかに、男と女がこちらに向かって歩いてくる。顔ははっきりとわからないが、女は橋口純子にちがいない。男の方は、軽く足を引きずっている。

「もしもし、こちらナンバー1。応答ねがいます」

相原は、トランシーバーで呼びかけた。

「こちらナンバー14。みんな元気ですか？　どうぞ」

谷本の元気のいい声が流れてきた。

「こっちは元気だ。お前歩いていいのか？」

「いいさ。おれもそっちへ行きたいよ」

「お前は、外にいてくれた方がいいんだ。柿沼の様子を聞かせてくれよ。どうぞ」

「ナンバー33に代わったわ。きのうの夜、誘拐《ゆうかい》犯人から電話があったわよ」

純子と谷本の姿が、肉眼でもはっきり見えるようになった。

「なんて言ってきた？」

「きょうの午前九時、身代金受けわたしの電話をするって」

「九時か。じゃ、まだ一時間あるな。いいか、犯人から電話があったら、柿沼のおやじにこう言わせるんだ。聞こえてるか？　どうぞ」

「聞こえてるわよ。どうぞ」

「柿沼が無事でいるという手紙を出させろ。それを受け取ったら金を払う」

「それだけ？」

「それだけだ」

「電話で声を聞くんじゃだめ？」

「電話はだめだ。どうしても手紙だと言うんだ」

「どうして？」

「手紙なら、柿沼はきっと何か知らせてくる」

「でも、手紙だったら犯人にばれちゃうじゃん」

「柿沼だったら、きっと暗号で書いてくるさ」

「そうかあ。そういう計算なのかあ」

純子はしきりに感心した。

「この計画がうまくいくかどうかは、純子にかかってるんだからな」

「まかしといて。うちのママは、柿沼君のママと仲いいから、大丈夫うまくいくよ」

「たのんだぜ」

英治が替って言った。

「英ちゃん？」

「そうさ。親たちはどうしてる？」

「まだ、みんな誘拐されたと思ってるようよ。きのうは、柿沼君ちへあんたたちの親とセン公、それに警察も集まって、どうしたらいいか、おそくまで相談したみたいよ」

「ばっかだなあ」

相原がトランシーバーを取った。

「じゃあ、八時半に解放区の臨時ニュースを放送するから、みんなの家に電話してくれよ」

「いいよ。何の放送するの？」

「ここにいるってことさ」

「ばらしちゃうの？　親たちがやってくるわよ」

「そうすりゃ、おれたちが誘拐されてねえってことがわかって安心するだろう」

「黙って帰るとは思えないな」

「そうなったら戦争さ」

「大丈夫？」

純子が緊張した声で言った。

「やってみなきゃわかんねえよ。じゃ、そっちの方たのんだぜ」

「了解。では健闘を祈る」

谷本が言った。

「いいか、秒読みをはじめるぞ」

英治は、相原と日比野の顔を見た。相原は、マイクの前で「エヘン」とせきばらいした。日比野は、テープレコーダーを見つめたまま、指でOKのサインを出した。

八時半まで、あと十秒になった。

「十秒前、九秒前、八秒前……」

二人とも顔が緊張している。

「四秒前、三秒前、二秒前、一秒前」

英治は、日比野に向かって左手でキューを出した。いつだったか、テレビ局で見たディレクターのやり方をそっくりまねしたのだが、自分がディレクターになったみたいないい気持ちだ。

「スイッチ・オン」

相原がFM放送のスイッチを入れると同時に、日比野もテープレコーダーのスイッチを押した。猪木のテーマ『炎のファイター』が、けたたましい音で流れはじめた。

正確に二十秒たったとき、英治はボリュームをしぼるように、肩まで上げた手をゆっくりと下におろした。それにつれて、音楽がしぼられた。

――よし、その調子だ。

英治は、相原に右手の人差し指を向けた。

「こちら解放区。みんな起きてるか。起きてない人は、すぐにベッドを出て外に出るんだ。すばらしい青空だぞ。昼間は暑くなりそうだから、校長と子どもは、帽子をかぶって外出した方がいいぜ。校長がなぜ帽子をかぶるのかって？　そりゃハゲだからさ」

「いいぞ相原。その調子だ」

みんな、笑いたいのを我慢して、怒ったような顔をしている。

「では、これから臨時ニュースを放送するぜ。これはマジに聴いてほしい。きのう、おれたちが突然いなくなったんで、誘拐されたといううわさが町に流れているらしいけど、それはまちがい。おれたちはそんなドジはやらねえ。解放区で全員ぴんぴんしてるから心配なく。誘拐されたのは柿沼一人。ただし、これはおれたちとは無関係だ。子どもを誘拐するなんて、薄汚《うすぎた》ねえ野郎だ。

これだけ言ってもまだ信用できない？　よし、それならN橋の近くにある荒川工機へきてくれよ。そこがおれたちの解放区だ。

解放区で何をするかって？　それはおとなには関係ないこと。おとなたちは、首を洗って待っていた方がいいぜ。

それから念のために言っとくけど、おれたちは武器も爆弾も持っている。無理に解放区に押し入ろうとしたら、解放区ごとふっ飛んじまうからね。こいつは脅《おど》しじゃねえぜ。臨時ニュースはこれで終り。次の放送はこんやの八時から、バッチシおもしろいことを聞かせるから、期待しててくれよな。じゃあバイバイ」

英治は、日比野に向かって手をあげた。音楽のボリュームがあがる。十秒、二十秒。相原にキーを出す。相原はスイッチをオフにした。日比野もテープを止めた。

「いい調子だ。だけどあんなこと言っちゃってヤバクねえか?」

天野が言った。天野は将来スポーツアナを目指しているだけあって、採点はきびしい。

「さあ、もうじきお客さんがやってくるぞ。いいじゃねえか、勝手にこさせりゃ。どうせ、ここにいることはいつかはばれるんだ。こそこそすることはねえさ」

「爆弾なんてほんとに隠してあるのか?」

「あるわけねえだろう。ああ言っときゃ、そう簡単には入ってこれねえじゃんか」

相原が言ったとき、塀《へい》の外で「お兄ちゃぁん」という声がした。

「だれか呼んでるぞ。もうきたのかな」

英治は窓から顔を出して下を見た。犬をつれた小学生が正門の前にいる。

「なんだ?」

「ぼく佐竹俊郎です。お兄ちゃんそこにいますか?」

小学生は上を見上げて言った。

「佐竹、弟が呼びにきたぞ。どうする?」

英治が言うと、佐竹は顔をしかめて舌うちすると、

「こんなところにくるなって言ってくれよ」

「お前、自分で言えよ」

「しようがねえやつだな」

佐竹は、しぶしぶ窓から顔を出した。

「お兄ちゃん」

弟の俊郎が下から手を振った。

「いま放送聞いて、走ってきたんだよ」

佐竹の家は、ここから一〇〇メートルもない。

「ここはガキのくるところじゃねえ。帰れ、帰れ」

「ぼくもそこに入れてよ」

「ばか言うな。お前はまだ小学校五年じゃねえか」

「五年だって、ぼくにはタローがいるもん。こいつは役に立つと思うよ」

俊郎は、つれている犬の頭をなぜた。

「なんだか、ずいぶん強そうな犬だな」

吉村が聞いた。

「アメリカン・ピット・ブル・テリアっていうんだ」

「長い名前だな」

「ブルドッグとテリアから生まれた犬で、地上最強といわれる闘犬なんだ」

佐竹は、ちょっと誇らしげに言った。

「すげえなあ。そんな犬がいたら、夜寝てても番犬になるんじゃねえか」

「あいつがいりゃ、夜見張りしていなくても絶対大丈夫だ。知らねえ人間が入ってくりゃイチコロさ」

「おい、犬だけ中へ入れようや。な相原」

「そうだな、犬というのは気がつかなかったな」

相原も、その気になりかけているみたいだ。

「ところがあいつは、弟の言うことしか聞かねえんだよ」

「じゃ、弟もいっしょに入れようや。みんなどうだ？　賛成だったら手をあげてくれ」

吉村はみんなの顔を見まわした。

「賛成」

全員の手があがった。

「よし、すぐ中へ入れよう。正門のくぐり戸をあけてやれよ」

相原の言葉をみなまで聞かず、佐竹は窓から顔を出すと、

「じゃ、入れてやるから、そこで待ってろ」

「わあい」

俊郎はとびあがって喜んでいる。佐竹は階段を駈《か》けおりて行った。

五分もすると、佐竹は俊郎とタローをつれてあがってきた。そばで見ると、顔はそれほど凶

暴ではないが、なんとなくみんな尻《しり》ごみした。

「これで、そんなに強いのか？」

安永が疑わしそうに言った。

「けんかさせたら、土佐犬より強いですよ。テリアといっても、ヨークシャー・テリアやマルチーズじゃなくて、ドーベルマンの血を引くテリアと、ブルドッグの子なんです。一度咬《か》みついたら絶対放しません」

俊郎は、タローを侮辱《ぶじょく》されたことで、むきになって言った。

「いいか、おれたちは遊びでやってるんじゃねえんだ。お前もここにきたからにはそのつもりで、みんなに迷惑かけるんじゃねえぞ」

佐竹は、一応兄貴づらして言う。

「わかってるよ。みなさん、おねがいします」

俊郎は、みんなに向かって何度も頭を下げた。

「放送聞いて、おふくろなんて言ってた？」

「もうじきここへ、みんなでやってくるよ。絶対つれもどすってさ」

「帰るもんか」

「大丈夫だよ。タローさえいれば、だれがきたって追い返してやるよ」

小さな俊郎が、急にたのもしく見えた。

ていた。

4

解放区に向かう人の列は、一人ふえ、二人ふえして、正門前に着いたときには三十人をこしていた。

その中には、橋口純子、堀場久美子、中山ひとみら女子生徒が十人。それに校長の榎本勝也《えのもとかつや》、教頭の丹羽満《にわみつる》、生活指導主任の野沢拓《のざわたく》、一年二組の担任八代謙一《やしろけんいち》もいた。

正門は鉄柵でできているが、パイプで厳重に固められたうえ、中から板をあてているので、内側を見ることはできない。ただし、これは子どもたちがやったのではなく、倒産以来ずっとそうなっていた。

正門の脇《わき》には四階建てのビルがある。その道路に面した壁面には、『ぼくらの解放区』と赤い絵具《えのぐ》で書いた垂れ幕が、屋上からぶら下がっている。

「なんだか、むかしの悪夢が甦《よみがえ》ってきたみたい」

相原園子はそれを見上げながら、夫の正志にだけ聞こえる低い声で言った。

「悪夢ではないさ。おれたちの青春だ」

正志の視線は、解放区という文字にはりついたまま動かない。

「解放区なんて言葉、徹はどこでおぼえたのかしら。あなた、おしえたの？」

「いや、おしえてない。しかし、おれたちはいつも、あのころのことを話していたじゃないか。知らずに頭の中に入っていたんだろう」

二人とも、正門前に群がった人たちからは少し距離を置いていた。

「何をやるつもりなのかしら?」

「さあ……。こうやって子どもたちの顔を見ていると、みんな底抜けに明るいじゃないか」

「私たちのときは、もっと突きつめた顔をしてたわね。みんな、何かを変えようと必死だったのよ。何かが、きっと変ると信じていたわ」

園子の頰《ほお》に赤みがさした。あのころのことを話しはじめると、消えたと思っていた燠《おき》に、火がつくみたいにからだが熱くなってくる。

「あの連中も、そうかもしれない」

「あんな子どもが……? まだ中学一年よ」

「もちろん、連中は何もわからずに行動しているんだろう。意識下の問題さ」

「それは深読みし過ぎよ」

「そうかなあ。君は安田講堂が陥落するときの、最後の放送をおぼえているか?」

「おぼえてるわ。われわれの闘いは決して終ったのではなく、われわれにかわって闘う同志の諸君が、ふたたび解放講堂から時計台放送を再開する日まで、一時この放送を中止します」

「しかし、いまの大学生を見てみろよ。もう権力に反抗するエネルギーなんて、これっぽっちもありゃしないぜ。高校生はどうだ? これは大学の予備校になりさがっている。中学生だって、三年になれば教師の言いなりだ。騒いでいるのは、少しばかりのつっぱり。これは、非行というレッテルをはって隔離してしまう。結局、おれたちのあとからやってくる者は、だれもいないってことさ」

「そうよね」

空《むな》しい思いが、園子の胸を吹き抜けた。

「もしかしたら、あの子どもたちが、おれたちにつづく連中なのかもしれない」

「あなたの思い入れはわかるけど、彼らたちに思想があって……？」

「彼らをつき動かしているのは思想じゃない。生存の本能さ」

「それ、どういう意味？」

「生物ってのは、将来の危険を予知する本能を持っていて、その危険を回避しようとする。それを持たない生物は、淘汰《とうた》されて亡びてしまう。彼らも、このままでいったら、将来によくないことが起こると、本能的に察知してああいう行動をとったにちがいない」

「そんな評論家みたいなこと言わないで。徹は私たちの息子よ。どうすればいいの？」

「やらしておくさ」

「このまま放っておくの？」

「こんな日がくるのを、心ひそかに待っていたんだ。おれは徹を見直したよ」

「そんなの無責任だわ。あの子たちは高校へ行けなくなるかもしれないのよ」

「それならそれでいいじゃないか」

「中学で放り出されて、どうして食べてゆけるの？」

「食うぐらい食えるさ」

「私は、徹に私たちと同じ道を歩かせたくないのよ」

「君も変ったもんだ。そんなに息子を体制に組み入れたいのか？」

「そうよ。それがどうしてわるいの？　私たちの仲間だって、いまは体制側でぬくぬくと肥っている人ばかりじゃない」

「もうよそう。ここでそんな議論をしてもはじまらない」

正志は額の汗を拭《ふ》いた。

正門の前に群がった親たちは、口ぐちに喚《わめ》いている。

「秀明ちゃん。ママよ。そこにいたら顔を出して」

宇野秀明の母親千佳子の声が、ひときわ高く聞こえる。それは、呼びかけるというより絶叫である。

ビルの二階の窓から、子どもたちがいっせいに顔を出した。

「ぼくちゃん。ママここよ、ここ」

千佳子は、二階の窓に向かって、狂ったように手を振った。秀明が恥ずかしそうに、手のひらを小さく動かした。

「あなた、きのうそこで寝たの?」

秀明がうなずく。

「よそで泊まるなら泊まると、どうしてママに言ってくれなかったの。ママ心配で、きのうは一睡もできなかったわよ。そこにはベッドはあるの?」

「そんなもの、あるわけないだろう」

「じゃ、どうやって寝たの?」

「コンクリートのうえにごろ寝さ」

「まあ!」

千佳子は頭を両手で抱えて悲鳴をあげた。

「そんなところじゃ、寝られなかったでしょう?」

「よく寝られたよ」

「からだが痛いでしょう?」

「痛かねえよ」

「かぜひかなかった?」

「ひかねえよ」

「蚊《か》に食べられなかった」

「いい加減にしてくれよ。みんなが笑ってるじゃないか」

秀明は頬をふくらませた。

「みんななんかどうでもいいの。あなた、だれかにおどかされてそこにいるんでしょう?」

「ちがうよ。いたいからいるんだ」

「うそ。あなたはそういう子じゃありません。おどかされているにきまってます。ここには、校長先生も教頭先生も、八代先生もみんないらっしゃるわ。こわがることないから出ていらっしゃい」

「言うことはそれだけ?」

「それだけとはなんですか?」

「それだけしゃべればもう十分だろう。いいからさっさと帰りなよ」

「秀ちゃん、あなたどうかしちゃったんじゃない?」

秀明の顔が窓から消えた。

「秀明、秀ちゃん。顔をもう一度ママに見せて。もう帰れって言わないから、顔だけでも見せてよ。おねがい」

千佳子は、火がついたように泣き出した。まるで動物が吠《ほ》えているみたいだ。派手な化粧が涙でくずれて、無残な形相《ぎょうそう》になった。

「哲郎、顔を出しなさい」

佐竹の母親紀子が、二階の窓を見上げて叫んだ。からだもでかいが、すごく迫力のある声だ。

「ここだよ」

佐竹は、二階の窓から手を振った。

「そこに俊郎行ってない?」

「きてるぜ」

「きてるぜじゃありません。二人とも出ていらっしゃい」

「やだね」

窓から顔を出した俊郎が言った。

「俊ちゃん、アイスクリーム持ってきたからおりていらっしゃい」

「アイスクリームなんかほしくないよ。ぼくも仲間に入れてもらったんだ」

「家に帰らないと、パパにお尻《しり》をぶたれるわよ」

「ぶちたけりゃぶちにこいよ」

「まあ……」

紀子は絶句した。

教頭の丹羽が、いつの間に用意したのか、メガフォンで話しかけた。

「みんな、どういうつもりかしらんが、お母さんたちも心配しているから、出てきなさい」

「いいから放っといてくれよ」

正門の上に取りつけられたスピーカーから声が流れてきた。

「いいか、無断で他人の家に入ることは罪になるのだぞ」

「じゃ、つかまえに入ってこいよ。ただし、命の保証はしねえぜ。こっちには、爆弾と地上最強の猛犬がいるんだ」

スピーカーから、犬の唸《うな》り声が聞こえる。

「おとなをからかうんじゃない。ひと晩泊まればもういいじゃないか」

「ひと晩じゃだめだね。おれたちはこれからやることがあるんだ」

「何がやりたいんだ？　聞こうじゃないか」

猫撫《ねこな》で声に替った。見ると、校長の榎本がメガフォンをにぎっている。

「いやらしい声を出すなよ。腹の中は見え見えだぜ」

「何色に見える？」

下にいる子どもたちが、いっせいにはやしたてた。

「黒だよ。きまってるじゃねえか」

「さあ、話したまえ」

榎本は顔を真っ赤にして、懸命に怒りを押さえているふうだ。

「話すと、あんたの首が飛ぶけどいいかい？」

「校長先生に対して、あんたとはなんだ」

生活指導主任の野沢が、榎本のメガフォンをひったくるようにしてどなった。

「よお、野沢菜のごますり。そいつを校長の家に持って行ってやれよ」

二階の子どもたちが、窓わくをたたいて野沢をひやかした。

「八代先生、なんとか言ったらどうですか」

野沢は、脇に突っ立っている八代に、メガフォンをつきつけた。八代は、しかたなさそうに、メガフォンを口にあてた。

「私は、担任の八代だ」

たよりない声で、ぼそぼそと言う。

「声が小さくて聞こえねえよ」

「私は担任の八代だ」

「それがどうした？　こんなところにうろうろしてると、塾のアルバイトに遅れるぜ」

「君たちはなんてことを……」

「知ってんだよ。学校では手抜きして、塾では張り切ってるってこと」

野沢が、八代のメガフォンを奪いとると、

「いいか、いまから十数えるだけ待ってやる。それでも出てこなければ警察へ引きわたす」

「警察はひど過ぎますわ」

親たちが口ぐちに言う。野沢は教頭の顔を見た。教頭は、その顔を校長に向けた。

「早く数えろよ。数を忘れたんなら、おれたちが数えてやるぜ。一、二、三、四、五、六、

七、八、九、十」
子どもたちが大合唱している間、三人の教師たちは、ぐっと唇《くちびる》をかみしめている。

「八代君」

教頭の丹羽が、たまりかねたように言った。

「はい」

「これはいったいどうしたことなんだ？」

丹羽は、八代とキスするのかと思うほど顔を寄せた。

「わかりません」

八代は顔をのけぞらせた。丹羽のあだなは怪獣である。この反射行動は本能的なものにちがいない。

「わからんですむと思うのか？　君のクラスの男子生徒全員だぞ。なぜ全員なのだ。そこが問題だ」

「私にも、それがわかりません」

「いいかね。生徒がこういう行動をとるからには、前に必ず兆候《ちようこう》があったはずだ」

「気づきませんでした」

「気づきませんでしただと？　君は、無責任、無気力、無感動、無作法、無関心。教師失格だ」

八代は、丹羽にここまで言われても、全然反応を示さない。

「怪獣、弱い者いじめするなよ」

またスピーカーから声がした。ここでしゃべる声が、あんなところに聞こえるとは、どこかにマイクが仕掛けてあるにちがいない。丹羽は窓をにらんだ。

「私は、クラスの男子生徒は集団発狂したのではないかと思います」

「ばかな。そんなことが突然おこるわけがないじゃないか。だれか煽動《せんどう》した奴がいるんだ。まさか、君じゃないだろうな？」

丹羽に凄《すご》まれて、さすがに八代も首をすくめた。

「めっそうもありません。いやしくも私は教師です。そういう疑いをかけられるだけでも残念です」

「では、あの中に煽動者がいるはずだ。心あたりはあるだろう？」

「放送の声には聞きおぼえがあります」

「だれだ？」

「相原徹です」

「その生徒はつっぱりか？」

「いいえ」

「両親は何をしている？」

正志は園子の腕をとると、「行こう」と言った。

「私たちが、徹の父親と母親です」

正志は、人波をかきわけて丹羽の前に進み出ると、周囲にも聞こえるような大声で言った。

「先生方は、うちの徹が煽動者だとおっしゃるんですか？」

「いや、そうは言っていません」

八代は、もう逃げ腰である。

「それなら結構です」

「煽動者は相原君です。それにちがいありません」

突然、宇野の母親千佳子が叫んだ。

「証拠があるんですか？ないのに、めったなことは言わないでください」

野沢が千佳子をたしなめた。

「ありますわ」

「ほんとうですか？」

「ええ、ほんとうですとも。証拠は、この方たちが、元全共闘ということです。お二人とも、学生時代は解放区とかいうバリケードの中で、ゲバ棒持って暴れたんです。警察にも何度かつかまっていますわ。この方たちは、きっとそういうふうに子どもを教育したにきまっています」

千佳子は、何かに憑《つ》かれたように、一気にまくしたてた。

「ほんとうですか？　相原さん」

野沢は、底意地のわるい目で正志を見た。この男も、全共闘世代である。おそらくあの当時は、ひっそりと嵐《あらし》の過ぎるのを待っていた連中にちがいない。

「先生いくつですか？」

「三十七歳です」

「そうですか。私はこの質問に関しては、答える必要を認めませんので、どうとでも勝手に想像してくださってけっこうです」

「卑怯《ひきょう》よ、それは。ちゃんと答えなさい。そして、あなたが責任を持って、うちの秀明をつれ出してください」

千佳子は、正志の腕をしっかりと握った。

「よお、そこのおばさん。カッカする気持ちはわかるけどよお、手まで握っちゃうのはちょっとはしたねえぜ」

スピーカーから流れる声に、千佳子は慌《あわ》てて手を放した。

「そう、そう。それでいい。自分の子どもがかわいいからって、だれかに責任を押しつけちゃいけねえよ。おれたちは、相原の命令でやってるんじゃねえ」

「じゃ、だれの命令なの？」

千佳子が、スピーカーに向かって叫んだ。

「だれの命令でもねえよ。中学に入ってから四か月。規則と命令にはうんざりしてるんだ。だから、だれにも命令されない場所をつくったのさ。それが解放区だよ」

「君たちはまだ子どもだ。子どもはおとなの言うことを聞くのが当然だ」

丹羽が、メガフォンで言う。

「それは、おとなによりけりだ。こうわるくちゃ、言うことも聞けねえよ」

「そんなこと言ってると、あとで後悔するぞ」

「高校受けるとき、かたきをとろうってんだろう。あんたたちの考えてることは、わかってるんだ」

榎本が、丹羽の肩をたたいた。

「先生、もうよしなさい。こんな言い合いをしていても問題は解決しません。きょうのところは引き揚げることにしましょう」

「さすがは校長だ。いいことを言うぜ。早く帰って、柿沼を救い出す手でも考えるんだな。といっても、どうせできやしねえだろう。しかたねえ。おれたちがやってやるよ」

スピーカーから、ボリュームをいっぱいにあげた『炎のファイター』が流れ出した。

「奴らに、あんなこと言わしていいんですか？」

野沢は、二階の窓をにらみ、次に榎本の顔を見た。

「きょうのところはこれで帰ろう。いまは何を言ってもむだだ」

榎本は正門に背を向けると、

「みなさん、きょうはもうお引き取りください」

と母親たちに言った。

「逃げるんですか？」

母親の一人がヒステリックに言った。

「いえ、学校に帰って対策を考えるのです。みなさんも、よろしかったらおいでください」

榎本の一言で、正門の前から波が引くように、おとなたちが帰って行った。残ったのは女子生徒を含めた子どもたちばかりである。

「やった、やった」

子どもたちは、ひとしきり騒いでから、満足した顔で引き揚げて行った。

解放区に出かけた母親たちは、全員中学校の会議室に集まった。

「先生、子どもたちはどうなるんでしょうか？」

宇野千佳子は、さっきからすっかり動転してしまって、目の焦点も定まらない。

「どうなると聞かれても、私にもお答えのしようがありません」

校長の榎本も、困惑を隠そうとしない。

「こんどのことは、かなり計画的な行動と思われますが、みなさまの中でお気づきになった方はいらっしゃらなかったのですか？」

教頭の丹羽は、親の方に責任をかぶせようとする意図がみえみえである。

「全然気づきませんでしたわ」

おたがいに顔を見合わせながら、口々《くちぐち》に言った。

「こういうことをしてしまったことは、高校受験のとき内申書に影響あるんでございましょうか？」

小黒健二《おぐろけんじ》の母親千恵子《ちえこ》が聞いた。

「それは、いまの段階ではなんとも申し上げられませんが、子どもたちが遊びとしてやっているのか。それとも、ある政治的な目的のためにやっているかによって、結論はちがってくると思います」

「政治的な目的だなんて……。遊びに決まっていますわ」

相原園子は吐き捨てるように言った。

「そうはおっしゃいますが、中学一年生が解放区なんて言葉を知っているはずがありません。それに、クラス全員が参加しているということが気になります」

野沢は、園子に対して挑戦《ちょうせん》的だった。

「最近学校では、先生の暴力が公然と行なわれているようですけれど、そういうことが引き金になったんじゃございません？」

「われわれは、教育上最小限の体罰しか行なっておりません。しかもその際も、生徒に納得させてから行使しております」

「子どもたちはそうは言っていませんよ」

園子は引き下がらない。

「そういう議論は、また時期をあらためてやることにして、きょうは、これからどう対処すべきかを話し合いたいと思います」

丹羽が中に入った。

「これはマスコミに面白おかしく取り上げられたりすると、収拾がつかなくなって、穏便《おんびん》にすませることもできなくなります。なんとしても、われわれの手で解決しなければなりません」

榎本が言った。

「校長先生のおっしゃるとおりですわ。私たちでできることはなんでもいたしますから、遠慮なくお申しつけください」

吉村賢一の母親美也子《みやこ》が言った。

「お母さま方にやっていただきたいことは、彼らの組織を切りくずすことです。組織といっても、そんなに強固な連帯感があるはずがありません。一人が脱《ぬ》ければ、がたがたと崩れるのは目に見えています」

「うちの秀明なんか、絶対よそでは泊まれない子なのに、きょうのあの子は人が変ってしまったみたい。言うこと聞くかしら」

千佳子は、自信なさそうに首を振った。

「聞きますとも、いまの子どもはみんな甘ったれですから。とにかく、マスコミの勘づく前にやらなければなりません」

もしマスコミで話題になったりしたら、榎本の面目は丸つぶれである。来年は辞《や》めてどこかへ就職しなければならないということを、詩乃は堀場久美子の母親睦子《むつこ》から聞いたことがあるが、そうなっては再就職にも差し支える。

久美子の父親千吉《せんきち》はPTAの会長で、榎本がときどき相談にあらわれるということだった。そのあたりのことは巧みにカムフラージュしながら、母親たちを動かそうとする。狡猾《こうかつ》としか言いようがない。

5

その日は、夕方になるまでみんな興奮していた。おとなたちが、あのまま黙って引き下がるとは思えない。それは、みんなの一致した意見だった。

では、どういう手をつかってやってくるか。

「爆弾が仕掛けてあると言ったけど、ほんとうに信じるかな」

日比野はみんなの顔を見まわした。

「そこまでバカじゃねえだろう」

中尾は、すげない言い方をした。

「そりゃそうだよな。子どもが爆弾手に入れられるはずねえもんな」

「そうなると、頼りになるのはタロー一匹か……」

吉村は心細い声を出した。

「爆弾、持ってくりゃいいじゃんか」

立石がだしぬけに言ったので、みんなの視線が集まった。

「どこから？」

「おれんちだよ。おれんちの倉庫には、火薬がいっぱいあらぁ」

「そうか。お前んちは花火師だったよな」

「そうさ。花火だって爆弾と同じようなものさ」

「だけど、倉庫には鍵《かぎ》がかかってるんだろう？」

「もちろんさ。二重にかかってる」

「それじゃだめだ」

吉村は、気落ちした顔をした。

「あしたの夜、おやじたちはいねえんだ」

「どこかへ行くのか？」

「利根川《とねがわ》の花火大会に出かけるんだ。だから、家は空《から》っぽになる」

「鍵を持ち出せるのか？」

「持ち出せるさ。しまい場所を知ってんだから」

「お前んちの倉庫って、どこにあるんだ？」

「隅田川《すみだがわ》と荒川《あらかわ》がくっつくところさ。まわりには家がないから、近づいても怪しまれねえよ」

「よし、盗みに行こうぜ」

安永は、すっかり乗り気になった。

「それはいいけれど、子どもが火薬をいじるのは危ないな」

それまで黙って聞いていた瀬川が、ぽつりと言った。

「どうして？」

「下手《へた》をしたらとんでもないことになる。それより、おもちゃの花火もあるだろう？」

「そりゃ、もちろんあるさ」

「それをつかったらいい」

「おもちゃじゃつまんねえよ」

安永は鼻を鳴らした。

「いや、ねずみ花火とか爆竜なんてのは、音を立てながら飛びはねるから、けっこうおどろかすことはできる」

「それならクラッカーボールがいいよ。みんなでいっせいに地面にぶつけたら、すげえ音がするぜ」

立石が言った。

「そいつは、かんしゃく玉のことか？」

「そうだよ」

「爆竹もいいな。こいつも、たくさんつかえば派手な音がする」

「それに煙幕もつかえば……」

「すげえぞ、立石」

安永は、興奮して立石の背中を思いきりたたいた。立石は痛そうに顔をしかめた。

「どうせだから、仕掛花火を持ってこようぜ」

立石が言った。

「仕掛花火って、絵とか字の出るやつか？」

相原は、立石の顔を見た。

「字だって絵だって、なんでもできるさ」

「荒川の河川敷《かせんじき》の花火大会って、いつだったかな？」

「二十六日だよ」

「そうか。その日には河川敷に人がいっぱい集まるよな。そのとき、おれたちも屋上に仕掛けを出したらおもしろいな」

相原が言ったとたん、みんなが拍手した。

「校長が泣いてる顔なんかどうだ？」

安永が言った。

「やるのは、解放区からのメッセージさ。文句はみんなで考えよう」

「なんだ、字か……」

安永は、ちょっと不満そうだったが、「まあいいや」と納得した。

「そうすると、あすの晩花火を盗みに行く者を決めようぜ」

相原は、みんなの顔を見わたした。急に、しんと静まりかえった。

「まず、下水道を脱《ぬ》け出すためには、おじいさん」

「わかった。まかしてくれ」

瀬川はうなずいた。

「おれは行くぜ」

安永が手を上げた。それから、「お前も行こう」と英治に言った。

英治はことわる間もなく、反射的に「うん」と言ってしまった。

「おれも行く」

佐竹が言った。

「じゃ、ぼくも行く」

つづいて弟の俊郎が言った。

「お前なんて足手まといだ」

「おれが行くよ」

吉村が言った。

「お前は、声が高いからだめだ」

「しゃべらなきゃいいだろう」

「そうだな。じゃ吉村にするか。これで、安永、菊地、佐竹、吉村、立石の五人だ」

「それだけおれば十分だ」

瀬川が言った。

「君たちのうちで、これまでに泥棒やったことある者は手を挙げてみろ」

瀬川が言った。

「そんなもの、あるわけないよ」

英治は、吉村と顔を見合わせた。

「万引きなら、やったことあるぜ」

安永が言った。

「心配なんかしてません。万引きじゃ大したことないな。まあいい。わしがついとるから心配することはない」

英治は、かっこうつけて言った。

「ほんとうか？　よし調べてやる」

瀬川は、そう言うが早いか、英治の股間《こかん》にさっと手を伸ばして、タマキンをにぎった。

「ほら、こんなに縮《ちぢ》んどるじゃないか」

みんながどっと笑ったので、英治は顔が真っ赤になった。

「お前だって同じだ」

瀬川は、吉村に手を伸ばしたが、一瞬早く吉村は逃げてしまった。

「みんな、マジに聞いてくれ。花火の方はそれでいいとして、ここの守りをどうするか考えようじゃないか」

相原の表情がきびしいせいか、それまでふざけ合っていた連中が、急に静かになった。

「塀《へい》の上には有刺鉄線が張ってあるからまずいいとして、問題は正門だ」

「あのくらいのパイプじゃ、おとなが五、六人かかったら簡単にこわれちまうな」

瀬川が言った。

「そこで、案が二つある。一つは、事務室の机を内側に積み上げるんだ」

「そのくらいじゃ、大したバリケードにならんな」

「では第二案。門は破られることを計算して、大きな落とし穴をつくる。門を破って入ってきたら、全員が落とし穴に落ちるってのはどうだ？」

「賛成」

圧倒的多数で、第二案が採用された。

「だけど、そこコンクリートだろう。固くて掘れないぜ。それよりこういう案はどうだ？」

中尾の顔をみんなが注視した。

「迷路をつくるんだよ。門をあけるだろう。そうすると迷路がある。それは、右と左に分かれていたり、行き止まりになっていたりする。そして、ところどころに落とし穴とか、頭から水が落ちてきたりする」

「おもしろいな。だけど、材料はどこにあるんだ？」

「パイプとトタンが、ほら、あそこに山積みしてあるじゃないか。あれだけあれば十分だ」

中尾が言うと、全員が「やろうぜ」と賛成した。

「よし、じゃ中尾が設計図を書いて、迷路をつくることにしよう」

「設計図をつくる前に、おもしろいアイディアがあったら言ってくれよ」

中尾が言った。

「何か踏むとさ、横から拳骨《げんこつ》が出てきて、パンチを食わせるなんてどうだ?」

安永が言った。

「よし、その案いただき」

「行き止まりがあるだろう。そこに、ここはあけてはいけませんと書いておくんだ。そうすると大抵の奴《やつ》はあけてみたくなる」

「あけると……?」

「正面に、右を見ろと書いてある。右を見ると左を見ろと書いてある。そこで左を見ると上を見ろと書いてある。しかたないから上を見る。するとそこに鏡が張ってあって、バカの顔と書いてある」

宇野が、まじめな顔をして言うのがおもしろくて、みんな大笑いになった。

「それもいただきだな」

中尾は手帳にメモした。こういうことになると、みんな夢中になってアイディアを出す。時間のたつのをすっかり忘れていた。

夕方の五時。谷本と純子が定時の連絡をしてくる時間だ。みんな、迷路の設計に夢中なので、相原と英治が屋上に上った。

夕方とはいっても、まだ陽が沈むには間がある。屋上のコンクリートは焼け石みたいで、いっこうに冷めそうもない。

「ナンバー14、どうぞ」

谷本の声がした。姿は見えない。

「ナンバー7、どうぞ」

英治はトランシーバーに答えた。

「目立つといけねえから、おれたちは岸のところでしゃがんでる。どうぞ」

「だれとだれがいるんだ。どうぞ」

「ナンバー33と35だ」

橋口純子と堀場久美子がいっしょだということだ。

「あれからどうなったか、情況をおしえてくれねえか?」

「よし、35に替る」

「こんちは、頑張ってる?」

「ああ、頑張ってるぜ」

「あれからセン公と親たちは学校へ行って、いろいろ相談したらしいよ」

「結論は?」

「マスコミに勘づかれるとヤバイから、それまでに、親たちがやってきて引っこ抜くんだって」

「引っこ抜くって……？」

「そうよ。だれかがやめれば、みんな辞めるじゃん。そう考えてるみたい」

「それ、だれが言ってた？」

「校長よ。うちのおやじのとこへ電話してきたのを盗聴したの」

久美子の父親堀場千吉は、堀場建設の社長であると同時に、中学のPTA会長でもある。ほんとうは、金儲《かねもう》けと女しか興味がないのに、将来は政治家になろうとしているので、それをカムフラージュするため、社会福祉やPTAの会長などをやっている。

久美子は、そのことを知ってから父親が大嫌《だいきら》いになり、スケ番になった。千吉はメンツ丸つぶれだと怒り狂っているが、ざまあみろと思っている。

榎本が家にやってきて、千吉と密談しているのを久美子が小耳にはさんだのは、一か月ほど前のことである。

学校では威張っている榎本が、千吉の前ではぺこぺこして就職をたのんでいる。そのことを相原に話すと、相原は盗聴してくれないかと言った。

盗聴器は、父親と母親が外出した日、谷本がやってきて電話機に取りつけ、久美子の勉強部屋で録音できるようにセットしてくれた。

そんなある日、久美子は、川向こうのS市の市長と千吉が秘密の会合をするという情報をつかんだ。もちろん相原に報告した。

相原は、解放区に立てこもる三日前、久美子にその盗聴をしっかりやってくれとたのんだ。

「じゃあ、あしたからうるさくなるな」

「そうよ」

「君たちとおれたちが連絡し合ってること知ってるか?」

「まだ気づいてないみたい」

「気をつけて行動してくれよ」

「了解」

「例の会合はいつになりそうだ?」

「二十五日か二十六日みたい」

「そっちの盗聴もたのんだぜ」

「まかしといて」

久美子というのは、こういうときすごく頼りになる女だ。

「柿沼のことはどうなった?」

「そっちは33がやってるから、彼女に替るよ」

「もしもし、英ちゃん?」

純子の声だ。

「そうだよ」

「暑いね」

「そんなことより、犯人から電話はあったのか？」

「あったよ」

「手紙は？」

「うちのママから、柿沼君のママに話して、手紙を出させるように言っといたからね」

「犯人はOKしたのか？」

「したみたい」

「柿沼のおふくろが、よく言うこと聞いたな」

「だって、うちのママは、柿沼君のママの相談相手だもん」

「君んちのママは中卒で、柿沼んちは大卒だろう。どうしてだ？」

「どうしてだろうね……。手紙が着いたらどうする？」

「きっと警察に見せるだろうな。その前に、コピーでもいいからほしいんだけどな。もしコピーをとる暇《ひま》がなかったら、君がそのとおりに書き写してくれないか？」

「いいよ。それをどうやってわたす？」

「道路の方はきっと見張られてると思うから、区営グランドから、ボールを投げ損ったみたいに放りこんでくれねえか」

「了解」

「あ、そうだ。こんど生まれた子はなんて名前だ?」

「七番目だから七郎よ」

「ちぇッ、いい加減だな」

「いい加減だから子どもができるんじゃん」

相原が、トランシーバーを横から取った。

「ナンバー14に替ってくれよ」

「はい。ナンバー14」

谷本の声がした。

「まだ、攻撃してくるようなことはなさそうだな」

「うん」

「緊急の場合は、FMでドラえもんの歌を流してくれよ」

「了解」

「それから、マスコミに通知してくれねえか?」

「解放区のことをか?」

「そうだ」

「了解」

6

午後九時。

「さあ、寝るか」

相原が言った。

「もう寝るのか？」

安永が不満そうな声を出した。

「じゃあ、暗くして話そうぜ。ろうそくがもったいないからな」

「ちょっと待ってくれ。その前に小便に行ってくる。だれかいっしょに行く者ないか？」

日比野が言うと、四、五人がつづけて「行く、行く」と言った。

ここのトイレは三階の隅にある。夜一人ではとても行けない。

「こんやで、二日間もテレビを見ないなんて、おれには生まれてはじめての体験だぜ」

秋元が言った。

「おれはキャンプしたことあるから、テレビなんか見なくたってへっちゃらさ」

英治が言った。

「おれ、プロレスが見られないことだけが辛《つら》いんだよな」

天野のプロレス好きは、クラスというより学年で一番である。それは、好きというよりは狂に近い。

小便に行った連中が帰ってきたので、相原はろうそくを吹き消した。部屋《へや》の中は真っ暗になり、あけた窓の外に、ぼんやりと夜空が見えはじめた。

「じいさんが言ってたけどよ」

安永が話しはじめた。

「昭和二十年の三月十日の空襲のとき、この辺は焼けて、たくさんの人が死んだんだってさ。いまでも、この下を掘ると骨が出てくるってよ」

「うそだ」

吉村が甲高《かんだか》い声をあげた。

「ほんとさ。だから、ときどき幽霊が出るんだって」

英治は背筋が寒くなってきた。

「ちょっと、静かにしろ」

相原が言った。

「ほら、足音が聞こえるだろう」

一瞬、吐く息が聞こえそうなほど静まりかえった。たしかに、廊下を歩く足音が聞こえる。

「お化けじゃねえのか?」

宇野の声はふるえている。

「お化けに足があるかよ」

安永が言ったが、だれも笑わない。足音は次第に近づいてくる。やがて止まったと思うと、ドアーをノックする低い音がした。

「だれだ？」

相原が聞いた。

「わしだ。もうみんな寝たのか？」

瀬川の声だ。

「なんだ、お化けかと思ってびっくりしたぜ」

瀬川は、ろうそくを持って部屋へ入ってきた。

「みんなまだ寝てないんなら、怖《こわ》い話を聞かせてやろうと思ってやってきたんだ。どうだ、聞きたいか？」

「聞きたい」

という声が、いっせいに起こった。

「よし、ではみんな、わしのまわりに集まれ」

瀬川は、小さな板きれの上に乗せたろうそくを床《ゆか》に置くと、自分はあぐらをかいて座った。そのまわりをみんなが取り囲んだ。

瀬川の顔は、ろうそくの光を下から受けて、何も言わなくても無気味だ。

「いいか、これはわしが戦争で中国に行ったとき、ほんとうに体験した話だ。作り話ではないぞ」

瀬川の低い声を聞いただけで、英治はもうからだがぞくぞくしてきた。

「その日は、昼間激しい戦闘があって、敵も味方もたくさん死んだ。わしたちの小隊は、小さな村を占領して、そこで野営したんだが、夜になると雨が降り出してきた」

瀬川は、むかしのことを思い出そうとするためか、目を遠くへ向けた。

「もちろん、村人たちはどこかへ逃げてしまって、村にはわしたち以外だれもいなかった。夜中の一時ごろだったかな、わしは歩哨《ほしよう》に立った」

「歩哨って何?」

「見張りのことさ。敵がいつ攻めてくるかわからんからな」

「真っ暗なところに立つの? 怖いだろうな」

「そりゃ怖いさ。いつ襲われるかわからんからな。何十分くらいしてからかな。ふっと見ると、雨の中に女が立っているではないか」

女と聞いたとたん、英治の首から二の腕にかけて鳥肌が立った。

「こんなところに女が立っているわけがない。わしは幻覚だと思って首を振った。しかし、女の姿は消えない。それればかりか、向こうへ歩いて行くではないか。わしは『だれか?』と言った。それでも、女は振り向きもせず遠ざかって行く」

宇野は、両手で耳を押さえている。

「わしは、女のあとについて行った。ところが、わしが早く歩けば向こうも早く歩く。おそく歩けばおそく歩く。ちっとも距離が縮まらんのだ。しばらく歩いているうちに、やっと女が立ち止まった。わしは、女の肩に手をかけて『おい』と言った。そうしたら、女が振り向いた」

みんな、息をつめるようにして、瀬川の顔に目を凝《こ》らしている。

「女の顔は、目も鼻も口もないノッペラボーだったんだ」

部屋の中に異様な声が充満した。

「わしは、腰が抜けるほどおどろいて逃げ出した。ところが方角がまったくわからんのだ。一晩中歩きまわって、やっと小隊に戻ってきたときには夜が明けていた」

「へえ……。そんなことってあるのかな」

英治は半信半疑だった。

「それ、幽霊だね」

「そうかもしれん。その日の昼の戦闘で、たしかにそんな女が、弾丸にあたって死んだのだ」

「みんなは信用した？」

「君たちはどうだ?」

だれも返事をする者はいなかった。

「世の中には、理屈では説明できない不思議なことが起こるものだ」

そうかもしれない。英治は、すっかり目が冴《さ》えてしまった。これでは、とても眠れそうにないと思った。

三日　女スパイ

1

午前一時。

昼間ああいうことがあったのだから、犬だけに番をさせて眠ってしまうのは危険だ。不寝番をおくべきだと瀬川が主張した。

不寝番という言葉を耳にするのは、みんなはじめてだった。要するに二人が組になって、二時間交替で見まわりをするということなのだ。

やっぱり、戦争に行ってきた人はちがう。その夜から不寝番をおくことにした。まず、九時から十一時までは相原と秋元。十二時から一時までは天野と宇野。一時から三時までは小黒と英治。三時から五時までは北原《きたはら》と楠《くすのき》。五時から六時までは、佐竹と菅原《すがわら》と番号順にきめた。

午前一時にたたき起こされた英治は、小黒と二人で、半分眠りながら広場へ出た。

「草木も眠る丑三《うしみ》つどきって知ってるか？」

小黒が言った。

「知らねえよ」

「午前二時のことさ。お化けが出るんだって」

英治は、とたんに寝る前瀬川が話したノッペラボーの話を思い出した。みるみる腕に鳥肌《とりはだ》が立ってきた。

もし、闇《やみ》の中にそんな女が立っていたらどうしたらいいのだ。英治は闇をすかして見た。何も見えない。

「行こうぜ」

小黒は、タローの首ひもを持って言った。

「うん」

小黒が歩き出したが、英治は足が進まない。お化けなんか出るものか。それに、小黒とタローがいるじゃないか。

英治は、自分に言い聞かせた。

ほんとうは、大声で歌でも歌いたいところだが、それは厳禁されているので、懐中電灯で前方を照らしながら黙々と歩く。手には鉄パイプを持ち、首からは非常用の笛をぶら下げている。もし敵が攻めてきたら、非常用の笛を吹くと同時に、一人はみんなに報《しら》せに走り、残る一人はタローといっしょに戦うということになっている。二人の間で、残るのは英治ときめた。

——どうか攻めてきませんように。

英治は、空を仰いで祈った。こんやの空には星がまったくない。

「菊地」

小黒が声を殺して言った。英治は小黒の方に視線を向けたが、顔は暗くて見えない。

「おれたち、こんなことやったら退学になるかな?」

「退学にはならねえさ。義務教育だもん」

「だけど、セン公って執念深いから、きっと復讐《ふくしゅう》すると思うぜ」

「そうかもな」

「きっと、おれたちはマークされて、いい高校受けさしてくれねえんじゃねえか?」

小黒はすっかり沈んでいる。

「心配なのか?」

「うん。おれんちって、おやじいねえだろう」

「そうだったよな」

「おれのおやじって、自殺したんだよ」

小黒の父親が自殺したというのは初耳だ。英治は言葉が出なかった。

「役所の課長補佐だったんだけど、そこで汚職事件があったとき、板ばさみになって死んじゃったんだ。おかげで、えらい奴は助かった……」

「ひでえな」

「おやじはばかだったのさ。だからおれは、東大に入って、おやじの仇《あだ》を討ちたいんだ」

「東大に入ると、どうして仇が討てるんだ？」

「役所ってのは、東大じゃなきゃだめなんだ」

「そうかなあ」

英治には、小黒の怨念《おんねん》がいま一つ理解できなかった。

「お前、それが心配ならやめてもいいんだぜ。いいから、塀《へい》を乗り越えて家に帰れよ」

「そういうつもりで言ったんじゃないんだ」

小黒は、しばらく黙って歩いていたが、

「ほんとのこと言うと、おれ、この中学に入ってきたときは、お前たちみんなをばかにしてたんだ」

「どうして？」

「優秀な奴は公立へこねえじゃん。吉村だって開成に落ちたからきたんだろう」

「そうか。だからお前は、おれたちとつき合わなかったのか？」

「おれは、一番になれると思ってたんだよ。そうしたら中尾がいたんだ。あいつ、塾にも行かねえし、勉強もあんまりやってないみたいなのにどうしても勝てねえ。おれ、ショックだったよ」

「中尾は特別さ、お前、そんなに勉強やってんのか？」

「一時前に寝たことはねえよ」

「すげえなあ。おれなんてサッカーやってるだろう。勉強しなくちゃと思っても、すぐ眠くなっちゃうんだ」

英治は、母親の詩乃から何度サッカーをやめろと言われたかしれない。けれど、サッカーだけはどうしてもやめたくないのだ。

「サッカーをとるか、勉強をとるか……。おれは勉強をとったんだ」

「お前、うちのおふくろと同じこと言うなあ。じゃ、通知表はオール5か？」

「体育が3だったよ。おれはトドににらまれてるからな」

そういえば、体育の苦手な小黒と谷本は、いつも酒井《さかい》にしごかれている。

タローが塀の上を見上げて唸《うな》り声をあげた。英治は、ぎょっとして顔を上げた。猫が塀の上にうずくまっていた。

「お前、勉強もしないで、こんなことしてていいのか？」

「おれってさ、みんなから見たらいやな奴だったと思うんだ。ところが、お前は仲間に入れてくれた。嬉《うれ》しかったぜ」

最後の言葉は、聞きとれぬほど小さい声になった。

「後悔してるんじゃねえのか？」

「ううん。その反対だ」

小黒は強く首を振った。

「みんなでやることが、こんなに楽しいってこと、おれは知らなかったんだ。このまま勉強ばかりして東大に入ったら、大切なものを忘れるところだったよ」

大切なものとは何なのか、英治にはわからなかった。

「おれ、最後まで頑張るつもりだから、よろしくたのむぜ」

「こっちこそよろしく」

二人は自然に手をにぎり合った。

「だけど、ちょっとこわいな」

「おれだってそうさ」

「お前もそうか？」

「あったりまえじゃん」

英治は、二人の前を黙々と歩くタローに目をやった。この犬は、怖さというものを知らないのだろうか。

「それで安心したよ」

二人で、声を押さえて笑った。

クラスのだれとも、ほとんど口を利《き》いたことのない小黒を、英治もたしかに敬遠していた。それが、こんなに心の中を打ち明けるとは……。英治は、そのことに感動をおぼえた。

小黒も、やっぱり友だちがほしかったのだ。

——お前って、案外いい奴だったんだな。

英治は、口まで出かかったが、照れくさくて、つい言いそびれてしまった。

六時四十分。

けさの朝食の当番は、立石、中尾、日比野の三人で、献立ては、目玉焼きにトマト一個。それに牛乳と乾パンということになっている。

携帯用ガスコンロにフライパンをのせ、それに中尾がなれない手つきで、卵を二つ割りこむ。みんながまわりでひやかすので、半分くらいは黄身がつぶれてしまう。焼くのは日比野だが、彼は将来一流ホテルのコック長になりたいというだけあって、あざやかな手さばきで焼き上げると、つぎつぎに皿《さら》に盛りわけてゆく。

「おれ、トマトはかんべんしてくれよ」

宇野が言うと、

「まかしとけ。おれが食ってやる」

日比野がすかさず言った。

「お前みたいに好き嫌いがあると、戦争に行ったら真っ先に餓死《がし》するぞ」

瀬川が言うと、ほんとうにそんな気がしてくる。

そのとき、突然タローが唸《うな》り声をたてたと思うと、正門に向かって突進した。

「おい、外にだれかきたぞ」

相原が言う間もなく、立石が見張り台に駈《か》け上った。見張り台は、スチールの事務机を三つ重ね、四本の脚をパイプで固定したものである。その上に上ると、ちょうど正門から頭一つ出せるかっこうになる。

「先生」

立石が外に向かって手を振った。

「だれだ？」

何人かが口ぐちに聞いた。

「西脇《にしわき》先生だ」

西脇由布子《ゆうこ》は、養護教論で、去年短大を出たばかりである。顔の感じが薬師丸ひろ子に似ているので、生徒には人気がある。

三年生の中には、授業が受けたくないと、腹が痛いとか、頭が痛いとか言って、保健室に入りびたっている者がいる。

西脇に目をつけているのは生徒だけではない。体育の教師酒井敦もそうだ。酒井は、数年前この中学が校内暴力で荒れていたとき、榎本が用心棒がわりにつれてきた男である。自称柔道五段。人を殺したのは三人。腕の骨や肋骨《ろっこつ》を折ったのは数知れずと豪語している。

人殺しが教師になれるわけはないのだからハッタリに決まっているが、彼の無差別暴力で、学校が静かになったことはたしかである。その点では、この中学を模範校にした最大の功労者だと自負している。しかも、それを教師やPTAが支持するものだから、まるで暴力団のようにのさばっている。

学校には、学校教育法第11条というのがあり、校長及び教員は、教育上必要があると認められるときは、監督庁の定めるところにより、学生及び児童に懲戒《ちょうかい》を加えることができる。ただし体罰を加えることはできない。ということになっているが、酒井は、こんなものがあるということを知ってか知らずか、生徒たちに暴力の限りをつくしている。

その一例をあげてみると、

ウルトラC＝口の中に汚《きたな》い雑巾《ぞうきん》をつっこみ、それをかませてしぼる。

ミンミン・バット＝柱にせみのまねしてしがみつかせ、ミンミンと鳴かせる。からだがずり落ちてくると、バットでなぐる。

チチのかたき＝おっぱいをつねる。女子生徒は悲鳴をあげる。砲丸投げアッパー＝両手で交互に胸を突いて行き、最後に顎《あご》の下を突き上げ、壁にたたきつける。

しりムチ＝ハタキの頭のとれた柄に、ビニールテープを巻いて補強した特製ムチ。授業中ふざけあったり、試験の点数がわるいとこのムチが飛ぶ。クラスの七割は、この体罰の経験者である。

被害者は谷本以外にもいっぱいいるのだが、学校もPTAも取り上げないので、これまで子どもたちは泣き寝入りしてきた。

その凶暴さとずんぐりした体型は、海のギャング、トドにそっくりである。だからみんな、酒井のことをトドと言っている。

酒井のことだ。解放区になぐり込みをかけてくるのはわかっている。そのときこそ、袋叩《ふくろだた》きにして、二度と立ち上がれないようにしてやるのだ。

酒井は、西脇が中学にやってきたときから目をつけて、しつこく言い寄っている。このままでは、西脇がいつ酒井に貞操を奪われてしまうかしれないというので、三年生を中心に、西脇先生の処女を守る会というのが生まれた。いざというときは、集団の力で西脇先生を守ろうというもので、すでに会員は五十人になろうとしている。もちろん英治も会員だ。

西脇先生がやってきたと聞いて、英治は夢中で見張り台に上った。

「みんな元気？」

西脇は、赤い自転車に乗ってやってきた。淡いブルーのTシャツと白のショートパンツ、見つめていると、まぶしくなってくる。

「元気でーす」

英治と立石は、思いきり大声で答えた。

「差し入れを持ってきたわよ。どうせろくなもの食べてないんでしょう？」

英治が「差し入れだぞ」とどなったとたん、みんなが塀によじのぼって顔を出した。

「みんな元気そうね。おなか痛くした人とか、かぜひいた人はいない？」

「いねえよ」

いっせいに言った。

「先生、差し入れってなんすか？」

日比野が聞いた。

「フランスパンと缶ジュース、それにアイスクリーム。そこからロープ垂らして」

「わーい」

いっせいに喚声があがった。英治は、見張り台に置いてあるロープを正門の外へ垂らした。

西脇がその先にビニール袋をしばりつけた。それを手早く引き上げると、カップ入りのアイスクリームを一個ずつみんなに投げた。

「うめえなあ。久しぶりにシャバの味がする。先生、恩に着るぜ」

安永が言った。

「先生たち怒ってるわよ」

「ほんと？」

「かんかんよ」

みんなが喚声をあげた。

「まだ、ここから出ないつもり？」

「もちろんさ」

「食べものはどうしてるの？」

「そっちはバッチシ。一か月はもちこたえられるすよ」

「古いものを食べちゃだめよ。あたるわよ」

「わかってるって」

「あなたたちが出ないっていったら、無理にでも出させられるわよ」

「そのときは戦争さ」

「呆《あき》れた。けがしたらどうするの？」

「そのときは、先生が赤十字になってくれればいいじゃん」

「それ、本気で言ってるの？」

「本気さ」

つぎつぎと、負傷者が担架で運ばれる。それを白衣の西脇がかいがいしく看護する。そんな光景が、英治の目の前にまざまざと浮かんできた。

「だれかに見られるといけないから、もう帰るわよ。じゃ、あんまり無理しないで、適当なところで白旗あげなさいよ」

西脇は、あたりをちょっと見てから自転車に乗ると、手をひらひら振りながら行ってしまった。

英治は胸に、ぽっかりと穴があいたような気持ちになった。

2

八時。

谷本と橋口純子からの定時連絡がある時間である。きょうから、迷路つくりの作業を全員ではじめることにしたので、屋上には相原と英治だけが上った。

すでに、河川敷《かせんじき》には谷本と純子がいて、こちらに向かって手を振っている。

「お早う。元気か？　どうぞ」

谷本の声がした。

「元気だ。そちらの様子を聞かせてくれ」

「きょうのトップニュースは、テレビがそこへ取材にやってくることだ」

「ＯＫ、何時にやってくる？」

「昼だ」

「セン公たち、そのこと知ってるのか？」

「知ってるさ。テレビ局から問い合わせがあったもん」

「あせってるか？」

「あせってるよ。だからその前にトドがやってくるぞ」

「待ってましただ」

「トドはこう言ってたってよ。テレビがくる前に、自分一人で片づけるから安心してくれって」

「笑わせるぜ。ここは学校じゃねえ、解放区なんだ。そのつもりでこいってんだ」

「谷本君をこんなにしたオトシマエをつけてやりなよ」

純子が言った。

「ああやってやるぜ。トドがくるときに、みんなも呼んどいてくれよ」

「了解」

「それから、こんや九時に学校の隣の児童公園にきて、ブランコのそばで待っていてくんねえか」

「そんなところへ何しに行くの？」

「いいから、くればわかる」

「じゃあ、久美子と二人で行くよ」

「了解。柿沼の手紙はまだ着かねえか？」

「まだよ。着いたら知らせるよ」

「待ってるぜ。じゃあな」

相原と英治は屋上から降りた。

広場では、中尾が書いた設計図をもとに、鉄パイプの組み立てがはじまっていた。鉄パイプと波型トタンは、工場の隅にうず高く積まれてあったので、迷路つくりの材料にはこと欠かなかった。

「みんな、ちょっと聞いてくれよ」

相原が呼びかけると、作業を中断してまわりに集まってきた。

「いまの連絡でわかったことを報告するぜ。一、柿沼の手紙はまだ届かない。これは、時間が早いからしかたないと思う。第二、きょうの昼ごろ、テレビが取材にやってくる」

わあッという喚声が湧《わ》き起こった。

「第三、テレビがやってくる前に、トドが襲撃してくる」

トドと聞いて、みんなの顔が緊張した。

「といってもびびることはない。ここは学校じゃなくて、おれたちの解放区なんだ」

「あいつには、だいぶかわいがってもらってるからな。きょうはたっぷりオトシマエをつけさせてもらうぜ」

安永も久美子と同じことを言う。二人とも酒井には、何度も焼きを入れられているからだ。

「ここで、トドを袋叩きしたらまずいぜ」

「どうして？」

「ポリ公を呼ぶいい口実になるじゃんか」

「汚《きた》ねえな」

安永は舌打ちした。

「汚ねえのはわかってるさ。だから、奴《やつ》らの裏をかけばいいのさ」

「どうやって？」

「トドをからかって、テレビで放映させるのさ」

「わかんねえ」

安永は首をひねった。

「問題を出して答えさせるんだ。八十点以上だったら、合格だから中へ入れてやる。それ以下だったら不合格といや乗ってくるだろう」

「セン公を試験するのか。そいつはおもしれえや」

安永は、すっかり上機嫌《じょうきげん》になった。

「問題は十問だ。みんなで考えようじゃねえか」

「はあい」

宇野が手を挙げた。

「なんだ？」

「できたぞ。こういうのはどうだ？　駅の名前を言わせるんだよ。室蘭本線とか、鹿児島本線とか。たとえば、鹿児島から川内《せんだい》まで言ってみろとかね」

「お前言えるのか？」

安永が聞いた。

「ああ言えるよ。にしかごしま、かみいじゅういん、さつままつもと、ひがしいち、ゆのもと、いちき、くしきの、こばんちゃや、くまのじょう、せんだい」

宇野は、まるでお経でも唱えるみたいに一気に言った。

「すげえなあ。どのくらい知ってんだ？」

安永は、呆《あき》れたように宇野の顔を見つめた。

「大したことはない。主要幹線だけだ」

「それにしたってすげえよ。これなら、トドに絶対勝てるぜ」

「これは社会科だな。奴は体育だから、そっちの問題を出してやろうよ。何かねえか」

相原が順に顔を見まわすと、天野《あまの》がゆっくりと手を挙げた。

「体育なら、おれにまかせてくれ。いいか、出すぞ。猪木VSアリの格闘技世界一決定戦はどこで行なわれたか?」

「日本武道館」

英治が答えた。

「よし。では、そのとき何人の観客が入ったか?」

「知らねえ」

「一万四千人。そのときの特別リングサイドはいくらだったか?」

「そんなこと知ってる奴いるのか」

「三十万円さ」

「ええッ、ほんとか?」

「ほんとさ。プロレスのことなら、なんでもおれに聞いてくれ」

天野は胸をそらせた。解放区放送のテーマ曲に、〝炎のファイター〟が絶対いいと言って、テープを持ってきて聞かせたのも天野である。

天野は、プロレス中継は必ずビデオで採録し、それを何度も見ては、過激なアナウンサーの口調をすっかり覚えてしまったくらいだから信用できる。

「よし、これもいただきだ。この調子でいったら、問題の十くらいはすぐできるな」

相原は、満足そうに何度もうなずいた。

九時に、正門の外でどなる酒井の声が聞こえた。

「あいつ、まるで豪傑みたいにかっこつけやがって」

ちょうど、迷路つくりの作業も休憩《きゅうけい》したいところだったので、みんなでトドをからかおうということになった。

安永、宇野、立石の三人が正門の見張り台に上り、あとは二階へ行くということになった。

「いいか、絶対手出しするなよ」

相原は、安永にそう言いおいて二階へ上った。

「おーす」

全員が顔を出して叫んだ。

「おーす。お前たち、もうやるだけやったんだから出てこい。いまなら校長先生にとりなしてやるから、罰せられんぞ」

酒井が、柄《がら》にもなく猫撫《ねこな》で声を出したので、みんないっせいに笑い出した。

「なにがおかしいッ」

酒井は、顔を真ッ赤にしてどなった。

「ほら、トドが本性を出したぞ。もっとおこれ、おこれ」

「なめるんじゃないッ」

「そんな顔、犬だってなめねえよ。油虫なら知らねえけど」

また、みんなで笑った。

「このクソガキめ、言わしておけばいい気になりやがって」

「教師だろう。もっと上品な言葉がつかえねえのか？」

「出てこい。おれがひねりつぶしてやるから」

「出てこいって言われて、出て行くあほうがいるかよ。だからトドは脳細胞が足りねえって言われるんだよ」

「だれだ、そんなこと言う奴は？」

「校長だって教頭だって、セン公はみんな言ってら」

「うそだ。おれは、お前たちを立派な人間にしたい。ただそれだけを思ってしごいているんだ。おれには私心はひとかけらもない。このおれの真情が、お前らにはどうしてわからないんだ」

「その、正義の味方ってのが困るんだよな」

「どうして正義がいかんのだ？　理由を言え」

「だから単細胞だっていうのさ」

「単細胞なら単細胞でいいから、とにかく出てこい」

「出てってもいいけど、そのかわりこっちにも条件がある」

相原が冷静な声で言った。

「なんだ、聞こうじゃないか」

酒井は、やっと普通の声にもどった。

「きょうの昼、テレビがここに取材にやってくる」

「どうして、そんなことを知ってるんだ？」

まるで、岸に打ち揚げられたトドみたいに、びっくりした顔をした。

「おれたちには、なんでもお見通しさ。そこで、おれたちは問題を出すから、それに答えろ。十問中八問が正解だったら、おれたちはここを出る」

「もしできなかったら？」

「そこで一人プロレスをやれ」

「一人でプロレスなんてできん」

「できるさ。こっちには実況アナウンサーのいいのがいる。アナウンスどおりに動けばいいんだ。どうだ、この勝負、頭に自信がなくてやれねえか。やれねえんならやらなくてもいいよ。無理して恥かくことねえもんな」

酒井は、腕を組んで空をにらんだ。

「よし、受けて立とうじゃないか。そのかわり、おれが勝ったら必ず出てくると約束するな？」

「子どもはうそをつかねえよ」

「わかった。では、後刻また参る」

トドは、肩をいからして帰って行った。

「ヤッホー。おれに過激なアナウンスをさせてくれるとは。相原、恩に着るぜ」

天野は、飛び上がって喜んだ。

「トドをうまく乗せたな。だけど、一人プロレスってなんだ？」

中尾が聞いた。

「一人で二役やるのさ」

「へえ……。わかんねえな」

「天野、だれとやらせる？」

「もちろん、アントニオ猪木さ。トドが猪木にこてんぱんにやられるところを、おれの尊敬する古館《ふるたち》アナより過激にやってみせるぜ」

「テレビ中継だからな」

「感激だぜ。プロレスのテレビ中継は、おれの一生の夢だったんだ」

――こいつもプロだなあ。

英治は、尊敬にも似た思いで、あらためて天野を見直した。

3

午前十一時になると、気温は、とっくに三十度をこしたと思われる暑さになった。

作業をしていると、汗はひっきりなしに出て、喉《のど》が渇いてしかたない。ほんとうなら、消火栓《せん》に口をつけて、ごくごく飲みたいところだが、水は沸《わ》かして飲めと瀬川が言う。

先生に言われると、いちいち反発したくなるのに、瀬川の言うことは素直に聞けるのが不思議だった。

やかんは、英治が家に捨ててあったのを持ってきたものだが、朝から何度沸かしてもすぐなくなってしまう。

「テレビ中継車がやってきたぞ」

見張り台の菅原が大声でどなった。

「天野、いよいよだぞ」

英治は、天野の肩をたたいた。

「ブタがブタをぶったら、ぶたれたブタがぶったブタをぶったので、ぶったブタとぶたれたブタがぶったおれた」

天野は、早口のトレーニングに夢中で、英治の言葉は聞こえなかったようだ。

「おーい」

屋上の非常階段から小黒がどなった。

「谷本からのボールだ。そこへ投げるぜ」

「OK」

相原がかまえた。小黒はボールを投げた。見事に手の中に入った。

「ナイスキャッチ」

相原のまわりに、みんなが集まった。

白のガムテープがしっかりと巻きつけられている。それをとるとハンカチになり、その下から手紙のコピーがあらわれた。芯《しん》にはゴルフボールが入れてある。

相原は、もどかしそうに手紙のコピーをひろげた。

はいけいおとう　さんおかあさんごきげんいかがで　すかぼくがゆうかいされてき　っとしんぱいしてい　ることとおもいますけれ　どとてもしんせつにしてもらって　いるのでごあんしんくださいただしおかね　を一七〇〇まんえんはら　っ　てくださいこのやくそくだけはきちんとま　もってもらわないとぼくのいのち　はなくなりますこれはほ　んとうです

「なんだこの手紙。小学校一年だぜ。柿沼の奴、おっかなくて漢字をみんな忘れちゃったんじゃねえのか」

安永が呆《あき》れたように言った。

「これは簡単な暗号さ。わざとこういうふうに書いたんだ」

中尾は、ちょっと見せてくれといって手紙を手にすると、字数を数えて、手帳に何か書いていたが、

「柿沼はこう言っている。ごみ、公園、からおけ」

「どこにそんなことが書いてあるんだ？」

安永は、とても納得できないという顔をしている。

「いいか。これは字と字のあきを数えればいいんだ。最初のはいけいおとうは七字だ。アルファベットの七字目はG。そうやってアルファベットをあてはめていくと、GOMI　KOENKARAOKEとなるんだ」

「そうか、言われてみりゃ簡単だけど、わざと字の間をあけたことに気づかなけりゃわかんねえな」

「だから柿沼は、子どもっぽく書いたのさ」

「さすが、秀才はちがうな」

安永はしきりに感心した。

「そうじゃないさ。こういう遊びを柿沼とよくやっていたんだ」

「それはいいとして、ごみ、公園、からおけってなんのことだ？　思いつくことあるか？」

相原は、中尾の顔を見つめた。

「ないね」

中尾が首を振ると、しばらく沈黙がつづいた。

「こういうことは考えられねえか？」

英治は、さして自信がなかったので、おずおずと口を開いた。

「誘拐《ゆうかい》犯人ってのは、大抵人質《ひとじち》を人目につかないところに監禁するもんだろう」

「そりゃそうさ」

みんな、当り前のこと言うなという目で英治を見ている。

「からおけというのは、柿沼が監禁されている部屋《へや》に、カラオケで歌っている声が聞こえてきたんじゃねえかと思うんだ」

「そうか……。菊地、お前すごいな」

中尾が感心したので、英治は顔が熱くなった。

「公園というのは、児童公園か何かで、子どもたちの騒ぐ声が聞こえてきたんじゃないのか……」

「そうだよ。きっとそうだ。じゃ、最後のごみは？」

「それがわかんねえんだよ。部屋の中がごみだらけというのも変だしな」

「ごみというのは、こうじゃねえのか……」

小黒が言った。英治は小黒の口もとを見つめた。

「監禁された部屋から、ごみ処理場の建物か煙突か、何かが見えたんだ」

「清掃工場か……。そうかもしれねえな」

英治は中尾の顔を見た。中尾は「うん」とうなずいた。

「すると、こういうことになる。柿沼の監禁されている場所は、ごみ処理場が見え、すぐ近くに公園がある。そのうえ、カラオケが聞こえてくるんだから繁華街だ」

「そこまでわかれば、だいぶ範囲がしぼられたじゃねえか」

吉村が言った。みんなの表情も急に明るくなった。

「よし、柿沼を見つけるのは、外の連中にまかせよう。いまから解放区放送をやるぞ」

外への緊急連絡は、外からと同じように、解放区放送でドラえもんのテーマ曲を流すことになっている。これを聞けば、すぐトランシーバーで連絡してくるのだ。

相原と英治と日比野の三人は、ＦＭ発信機の置いてあるビルの四階に上った。

「スイッチ・オン」

英治は、日比野にキーを出した。日比野はテープレコーダーのスイッチを押した。

〽こんなこといいな　できたらいいな
あんな夢　こんな夢　いっぱいあるけど
この曲を聞いていると、ほんとうにドラえもんになれたらいいと思う。

英治は、相原にキューを出した。

「こちらは解放区放送。みんな元気にやってるか？　西瓜《すいか》食べすぎて腹をこわすなよ。といってもここにはない。ああ、西瓜が食いたくなった。ところで、いまから臨時ニュースを言うから、よく聞いてくれよ。きょうのお昼、テレビ局が解放区に取材にやってくる。そのとき、トドとの対決を実況放送するからな。解放区にこれない君は、ぜひ新日本テレビにチャンネルを合わせてくれ。じゃあな」

相原はスイッチを切ると、

「屋上へ上ろう」と二人に言った。非常階段は、陽射しをまともにうけて、手摺《てすり》をにぎると熱かった。

屋上まで一気に駈《か》け上がった三人は、道路を見おろした。正門脇に停まったテレビ中継車のまわりには、すでに子どもたちが、かなりの数集まっていた。

河川敷はその反対側である。こちらは、さすがに暑いせいか人影もまばらである。

「もしもし、ナンバー14。応答ねがいます」

谷本の声だ。草の中に座ってこちらに手を振っている。

「ナンバー1。手紙ありがとう。柿沼の居所はわかったぞ」

「ほんとか？」

「ほんとだ。いまから言うから、お前と女子で捜してくれ」

「了解。どうぞ」

谷本の声が緊張した。

「柿沼が監禁されている場所は、カラオケの聞こえる繁華街で、近くに、子どもたちが遊ぶ公園がある。窓からは清掃工場の建物か煙突が見える。これだけを手がかりに捜してくれ」

「そいつは、だいぶきつい条件だぜ」

「しかたない。柿沼はそれだけしか言ってこねえんだ。奴だって、自分がどこにいるかわかんねえんだろう」

「東京中のそんな場所を捜したら、一年もかかっちゃうぜ」

「近くからやろう。女子が二十人いるから、二人ずつチームをつくれば十チームできるぜ」

「わかった。すぐやってみよう」

「柿沼んちの盗聴はうまくいってるか？」

「いってるよ。純子のママがうまくセットしてくれたんで、ポリ公の動きはこっちに筒抜《つつぬ》けさ」

「ポリ公は手紙のことどう言ってる？」

「消印は東京中央郵便局だけど、表書きと中味は全部柿沼の字だから、どうにもならないみたいだ」

「暗号のことは？」

「全然わかっちゃいねえよ」

「頭《あつたま》わるいな。身代金《みのしろきん》のこと言ってきたか？」

「あしたの十二時に犯人から電話があったら、柿沼のおやじが持って行くらしいぞ」

「そうなると、柿沼をそれまでに見つけ出さなくちゃならねえぜ」

「わかった。やってみる。監禁されてる場所がわかったらどうする？」

「すぐ連絡してくれ。勝手にやるなよ」

「OK。ほかにないか？」

「十二時から、正門の前でおもしろいショーがあるけれど、それを見てるとおそくなるから、すぐ仕事にかかってくれ。それだけだ」

「了解」

相原は、したたり落ちる汗を腕で拭《ぬぐ》った。

「あしたか……。見通し暗くなってきたな」

日比野が空を仰いで言った。

「この近くなら見つかると思うけど、遠くだったらこれだ」

相原は、両手を挙げてグリコ（お手上げ）した。

「どうか柿沼が見つかりますように」

英治は手を合わせた。

「こんなときばかりたのんだって、効《き》き目はねえよ」

相原の言うとおりだ。英治は、しかたなしに笑った。けれど、なんとか柿沼を助けたい。そのことだけは頭から離れなかった。

非常階段を降りかけると、正門前のざわめきが這《は》い上がるように聞こえてきた。

4

「みなさん、ごらんください。ここが、子どもたちの解放区なのです」

丸顔で出っ腹。上から見ると頭のてっぺんがすっかり薄くなっている。一見、とっちゃん坊やといった感じの男が、マイクを片手にしきりにしゃべっている。というより叫んでいると言った方がいい。

「あいつ、芸能レポーターの矢場勇《やばいさむ》じゃねえか」

「矢場勇？」

「そうさ。ヤバイ、サムっていって、一流のタレントは、奴《やつ》にスキャンダルを追っかけられるのをびびってるんだ」

日比野は芸能ニュースにくわしい。

「すると、おれたちも一流ってわけか？」

宇野が言った。

「まあ、そういうわけだ」

「よし、じゃ挨拶《あいさつ》しようぜ」

宇野は日比野と並んで、テレビカメラに向かってVサインをした。つづいて秋元が、いつの間に用意したのか、自分の似顔絵と名前を書いたポスターを差し出した。

矢場は、子どもたちの方は無視して、いっそうボルテージをあげた。

「解放区。この言葉を口にするとき、ぼくの胸はじーんと熱くなります。何を隠しましょう、ぼくは全共闘世代であります。思い起こせばいまから十六年前、ぼくらの青春はバリケードの中にありました。嵐《あらし》のごとくきたり、嵐のごとく去って行った、あの熱い時代。あの熱気は、いったいどこへ行ってしまったのか。火は消えてしまったのでしょうか。そう思っていたとき、突然この東京のど真ん中に解放区が出現したのです。しかも、あの全共闘世代の息子たちによって……。ぼくはいまから彼らに、なぜ、なんの目的で解放区をつくったのか、インタビューしてみたいと思います」

腹の突き出た矢場は、正門の前に置かれた脚立《きゃたつ》に、危ない足取りで上った。そこからだと、正門の内側に積み上げたスチールデスクに乗った子どもと、正門をはさんで一メートルくらいりわらった。

「みんな、こんにちは」

矢場は、お前たちの気持ちはわかるぜ。OBなんだからな、という親しげな顔をしてにっこりわらった。

「こんにちは」

机の上には十人が乗っかり、あとは二階の窓から見おろしている。

「君たちの言いたいこと、なんでもいいから言ってくれないかな」

「テレビで言いたいこと言っちゃっていいのかな」

相原は道路に並んで、不安げにこちらを見ている、校長や教頭に視線を向けて言った。

「先生のことなら、何もしないから心配しなくていい」

「だけど、連中執念深いから、あときっと復讐《ふくしゅう》するよ」

「しない。それはこの矢場勇が全国の視聴者の前で約束する。ね、しませんね」

矢場は、うしろを振り向いて念を押した。榎本が、苦い薬でも飲んだような顔でうなずいた。

「さあ、では君たちがなぜ解放区をつくったのか、その理由から話してもらおうか」

「理由なんて言われても、別にないよ」

相原だけが言うのはまずいので、英治が答えた。

「理由のない行動はないさ。まして、クラス全員でこんなトリデをつくって立てこもったんだ。君たちが言えないんならぼくが言おう。先生の暴力が原因か？　それとも親か？」

「どっちでもないよ」

「それじゃ、なんだ？」

「だから、理由なんてないって言ったろう」

「それでは納得できないんだよ」

矢場は、苛立《いらだ》ったようにマイクを押しつける。

「じゃ、あんたたちのときは、どういう理由で闘った？」

「われわれのときは、最初は大学の権利回復闘争だったけれど、それが次第に政治運動に発展していったのだ。いや、政治的な権力闘争ばかりじゃない。学生として、人間としての解放を求めた闘いだった。

生きてる　生きてる　生きている
つい昨日まで　悪魔に支配され
栄養を奪われていたが
今日飲んだ〃解放〃というアンプルで
今はもう　完全に生き変わった
そして今　バリケードの中で
生きている

生きてる　生きてる　生きている
今や青春の中に生きている」

矢場は、まるで酔ったように空を見上げている。

「それ、日大全共闘だろう？」

「知ってるのか？」

おどろいたように相原を見た。

「知ってるさ。そのくらい」

「どうしてだ？」

「おれたちの親は、みんなゲバ棒持って暴れた連中さ」

「そうか、そういうことだったのか。一度枯れたかと見えたノンセクト・ラジカルの芽は、春になってふたたび甦《よみがえ》ってきたのだ。これはキリストの復活だ。そうだろう？」

「あんた、言い方がオーバーだぜ」

「君たちの考えていることは、ぼくには鏡に写したようにわかる。君たちは、管理教育に反抗して立ち上がったんだ。みなさん、この解放区は、大都会のブラックホールです。いまは、ちっぽけなものですが、それは、あすにでも巨大なものに成長し、すべてを呑《の》みこんでしまうかもしれません。時代は、いま確実に変ろうとしているのです」

「ちょっと、おっさん」

相原は、処置なしという顔で矢場の話をさえぎった。

「元全共闘に聞きたいけど、あんた、いまやってる仕事に満足してんのかい？」

矢場は、ぐっとつまった。

「仕事に貴賤《きせん》はない。満足してるさ」

「あんたのやってることってのは、タレントのスキャンダルを追いかけまわしちゃ、テレビでいやらしいおばさんたちにばくろしてるんだろう」

「それはだな、みんながそういうことに興味があるからだよ」

「じゃあ、みんながスカートをめくれって言ったら、あんたはめくるかい？」

「ばかなことを言うんじゃない」

「あんたのやってることと、スカートめくりとどこがちがうんだい」

矢場の顔が、みるみる赤黒くなった。

「助平」

「痴漢」

みんなが、手をたたいてはやしたてた。

「みなさん、このわるガキぶりをごらんいただけたでしょうか？　これでは、総理大臣が道徳教育と言うのもわかる気がします」

「スカートめくり屋が道徳教育だって、笑わしちゃいけないよ。道徳教育が必要なのは、あんだってこと忘れちゃ困るぜ」

「まさに、恐るべき子どもたちです。彼らをこんなにしたのは、親でしょうか、教師でしょうか。それとも社会でしょうか？」

「またそんなこと言う。あんたは、他人《ひと》のスキャンダルをばらして有名人になったんだ。あんまり目立ちたがらない方がいいぜ」

「ご忠告ありがとう。これから気をつけることにしよう。で、君たちは、いつまでここに立てこもるつもりなんだ？」

さすがにプロである。すぐに体勢を立て直して笑顔を見せた。

「おれたち、酒井先生と約束したんだ。これからおれたちが問題を十問出すから、先生が十問中八問答えたら、ここを出るって」

「ほう。それはどういうことなのか、くわしくおしえてくれないかな」

「簡単なことさ。おれたちが負けたらここを出る。先生が負けたら一人プロレスをやる」

「一人プロレス？」

「一人でプロレスをやることさ」

「それ、ほんとうですか？」

矢場は、かたまっている教師の方を振り向いて言った。

「そのとおりです」

酒井がうなずいた。

「では、先生ここへ上ってきてください」

矢場に言われて、酒井は脚立に駈け上った。

「さあこい」

酒井は、まるで柔道の山下選手みたいにかっこうつけて仁王立ちになった。戦いは、肉体ではなくて、頭脳だということに気がついていない。これではもう勝ったようなものだ。

「では第一問」

相原は、ノートに目をやった。

「鹿児島本線の鹿児島から川内《せんだい》までの駅名を、順番に答えなさい」

「仙台といえば東北地方だ。九州じゃないぞ。もっと地理をよく勉強しろ」

「鹿児島県にも川内ってところはあるんだよ。そんなことも知らないようじゃ、わかるわけないな。参ったか？」

「参った」

「では第二問。これは先生ならだれでも知っている法律だ。学校教育法第11条は、どういうことを言っているか？」

「知らん」

トドは首を振った。

「そんなことも知らねえの。生徒に体罰を加えることはできないってことだよ」

酒井の顔が真っ赤になった。

「お前のやってることは法律違反なんだぞ」

何人かが言った。

「第三問、反面教師について次の説明のうち正しいのはどれか。①田山花袋《たやまかたい》の小説名。②毒を変じて薬とするという意味の中国の思想。③学校教育よりも内職に力を注ぐ教師。④校長・教頭の管理職に対する一般教員の総称。⑤道徳教育は不必要という考えをもつ教師」

「⑤にきまっとる」

「残念でした。②じゃないか」

酒井は、ぐっと相原をにらんだ。いまにもつかみかからんばかりの形相《ぎょうそう》だ。

「第四問。こんどは得意の体育だ。いまから言うスポーツとその用語の組み合わせで誤っているのはどれか。サッカー、フォワード、フルバック、スクラム、オフサイド」

「スクラムはラグビーだ。くだらないことを聞くな」

「四問中、正解は一問じゃ落第だね。じゃ、約束どおりやってもらいましょう」

「ちょっと待ってくれ」

酒井のこんな情けない顔を見るのははじめてだった。

「早くやれよ」

「男だろ」

「約束破るなんて汚《きた》ねえぞ」

みんな口々《くちぐち》に喚《わめ》き、窓をたたいた。

「武士の情けだ。たのむ」

酒井は手を合わせた。

「天野、かまわねえから実況をはじめろ」

相原が言うと、天野はマイクをにぎった。

「さあいよいよ、トド酒井対アントニオ猪木の宿命の対決を迎えようとしています。トド酒井、チャレンジャーの入場であります。戦いのワンダーランドは人人人、解放区前、七千人の超満員の観衆がどよめいております。

場内には、トド酒井のテーマ曲〝練鑑《ねりかん》ブルース〟が流れてきました」

〽チンケな校長におだてられ
ガキをしごいて　ケガをさせ
暴力教師とそしられて
とうとうクビになりました

〽検事、判事のいる前で
　ついた罪名　傷害罪
　やっとの思いでシャバに出りゃ
　おいらのスケちゃん　ダチの嫁

酒井は、自信のない足どりで脚立をおりた。周囲からいっせいに猪木コールがおこった。

「猪木、トドを殺せぇ」

猪木のテーマがスピーカーから流れた。

「天野、つづけろ」

二階の窓から声がした。それににっこりと笑顔を見せる余裕が、天野にもできたようだ。

「いま、問答無用のテロリスト、プロレスアナーキー・トド酒井がコールされました。つづいて、燃える闘魂、アントニオ猪木のコール。

内乱、テロ、リボリューションとさまざまな断面を見せながら、過激なプロレスをこえたシュールな戦いが、いま展開されようとしております。まさに四角いジャングル。おおぉおーっと、きょうは四角じゃない細長いジャングルは、燎原《りょうげん》の火のように燃えさかっているわけであります」

酒井のまわりに子どもたちが集まって「やれ、やれ」とけしかける。

酒井は、拳《こぶし》を握りしめたまま空を見上げてにらんでいる。

二階の窓からも罵詈《ばり》が雨あられと降り注ぐ。

「卑怯者《ひきょう》！」

「大ぼら吹き！」

「それでも男か！　できなけりゃ、手をついてすみませんと謝れ」

「何を……」

酒井は、二階の窓をにらみつけた。

「怒れ、怒れ！」

「トド酒井の顔は真っ赤。猪木もひじょうにけわしい表情をしております。両者の胸のうちから理性は完全に消え、闘争本能だけ。一〇〇パーセント闘争本能だけのすさまじい様相になってまいりました」

天野は、隣にいる英治に「水」と言った。英治がコップをわたす。それを一息に飲んだ。

「あんちくしょう。まだ動かねえのか」

さすがに天野も、処置なしという顔で舌打ちをした。

「ちょっと貸せよ」

英治は、天野のマイクを手にした。

「どうしたことでしょう。トド酒井は試合放棄の模様です。彼の強がりはハッタリだったのです。弱虫トドちゃん。もういいからお家《うち》にお帰り」

みんながいっせいに笑った。

「おれは、試合放棄なんかせんぞ」

酒井は、そう言うなり、飛びけりをやった。みんながいっせいに拍手した。

天野は、英治が持っているマイクをもぎ取った。

「あッ、トド酒井がいきなりドロップキックを猪木の顔面に炸裂《さくれつ》させました。猪木はロープまでふっ飛んだ。この次には何が待ちかまえているか。おぉおぉッ、トド・ラリアート。猪木あぶない、あぶない！　猪木かわした。バックをとった。ジャーマンだ。トドかえした。まさしく超異次元トワイライトゾーン。変幻自在の大わざの応酬《おうしゅう》だ」

酒井は、道路の上でころがったり、飛んだり、走ったり、腕をふりまわしたりしている。

「あいつ、とうとう気が狂っちゃったぜ」

英治は、相原に話しかけた。相原は、呆れてものも言えないという表情だ。

「まさに白兵戦、つば競《ぜ》り合いの様相をきたしてまいりました。おぉおぉッ、トド酒井凶器を取り出しました。猪木の首筋をねらった。

『山本さん、いまにぶい音がしましたね』

『ええ、これは反則ですね』

猪木怒った。鬼神の表情であります。怒りの暴爆。フラストレーションを一気に吹き飛ばす延髄斬り《えんずいぎ》二連発。超満員の会場は、まさに戦慄《せんりつ》のブリザード現象を見せているのであります。おおッと、カウントが入りました。レフェリーは猪木の右腕を高だかとさしあげましたが、トド酒井はまだ動きません。これは相当のダメージであります。もう再起は不可能かもしれません。では、これで解放区前からのプロレス中継を終ります。みなさんごきげんよう」

酒井は、道路に寝たまま動こうとしない。天野は、マイクを矢場に返した。拍手がいっせいにおこった。

5

夜になっても、昼間のテレビ中継の興奮は、いっこうにさめなかった。

「天野の放送は過激を通りこしてシュールだったぜ。トドののたうちまわっているかっこうったらなかったな」

これまで、男子生徒で酒井に痛めつけられたことのない者はいない。だから、全員胸がすかっとしたのだ。

「練鑑ブルースがよかったな。おれは、胸にじんときたぜ」

安永が言った。

「来年あたり、行くかもしれねえからな」

〽身から出ましたサビゆえに
　チンケなポリ公にパクられて
　手錠かまされこづかれて
　着いたところは鑑別所

変声期の安永は、かすれた声で歌い出した。

「鑑別所には行くなよ」

相原が言った。

「そりゃ、おれだって行きたかねえけど、やるときはやらなきゃ、男が立たねえからな」

「やるときは、みんなでやるのさ。鑑別所にも、みんなで行こうぜ」

みんな笑ったけれど、英治は笑えなかった。それは、鑑別所に行くのがこわいからではなく、こんやの九時に、花火倉庫へ花火を盗みに行くことが、ずっと頭にひっかかっていたからである。

出発の八時四十分まで、あと三十分しかない。時間は刻々と迫ってくる。時計が止まればいいのに。それとも、何かハプニングが起きて中止になればいい。

英治は、いっしょに行く安永、佐竹、吉村、立石の顔をこっそり見た。どの顔も明るそうで、みんなとはしゃいでいる。

――おれって、特別臆病《おくびょう》なのかな。

英治は恥ずかしくなった。

「さあ、そろそろ行こうか」

八時四十分になったとき、瀬川はそう言って腰を上げた。まるで、散歩にでも行くみたいな気軽さだ。

英治は、からだじゅうの筋肉が、一度にぴんと張りつめた感じがした。バネ仕掛けの人形みたいに、ぎごちなく立ち上がった。

「しっかりやってこいよ」

相原が手を出したので、その手をしっかりにぎった。

「そんなに深刻な顔をするなよ」

相原に言われてしまった。

「そりゃそうだけど、やっぱり泥棒ってのはびびるよな」

声がふるえたかなと思ったけれど、だれも何も言わなかった。

「おれんちのものを、おれが持ってくるんだから、泥棒じゃねえよ」

立石が言った。

瀬川は、広場の隅《すみ》まですたすたと歩いて行くと、五〇センチくらいの鉄の棒で、マンホールのふたをこじあけた。

「ほら、このふたを動かせ」

瀬川に言われて、相原と日比野が、二人がかりでふたをずらした。英治は、ぽっかりあいた、暗い穴をのぞきこんだ。なんにも見えない。中からは異様なにおいが立ちのぼってくる。

「では行くぞ。足もとに注意してついてこい」

瀬川は、懐中電灯を穴の底に向けた。丸い光の輪の中に鉄のはしごが見える。一歩、一歩、慎重な足取りでおりて行く。英治がそのあとにつづいた。

はしごをおりると、足が水につかった。

「すべるから気をつけろ」

瀬川の声が反響して、なんだか別の次元にスリップしてしまったような気がする。ここはまだ本管でないので、腰をかがめないと歩けない。そのうえ、かなり流れは早く、底はぬるぬるしているので、足をとられていまにもすべりそうだ。

「どうした。そんなにゆっくりしていると、夜が明けてしまうぞ」

瀬川の声が壁に反響した。光の輪は、かなり先に行っている。英治は、急ごうと足を進めたとたん、すべって尻餅《しりもち》をついた。顔に水がかかった。すごいにおいだ。

「あッ、鼠《ねずみ》」

吉村の悲鳴が聞こえた。

「鼠くらいでがたがたするな。もうすぐ本管だ」

うしろでだれかがころんだ。つづいてもう一人。声の様子から安永と佐竹みたいだ。

ようやく本管に出たときは、瀬川をのぞいて全員がびしょ濡《ぬ》れだった。といっても、ショートパンツにTシャツだから、マンホールを出たら、児童公園の水道でからだを洗えばいい。とにかく、この臭《くさ》さだけはかなわない。

本管に出ると、立っても十分な広さになり、おまけに歩道がついている。流れもずっとゆるやかになった。鼠がときどき、その流れの中を走るが、なれてしまうと、だれもおどろかなくなる。

「おじいさん、こんなところを一人で歩いて、よくこわくなかったね」

「戦争にくらべれば、ここは安全さ。命を狙《ねら》われることは絶対にないからな」

「夜だと、敵か味方かどうして見分けるの？」

「合言葉をきめておくのさ。山と言ったら、川と答えるんだ」

「忘れたらたいへんだね」

「そりゃたいへんだ。命がなくなる」

「おじいさん、戦争で人を殺したことある？」

「あるさ」

「人殺しをしたの？」

吉村が甲高《かんだか》い声をあげた。

「殺さなきゃこっちが殺される。戦争って、そういうもんだ」

「殺したとき、どんな気がした？」

「いやなものさ。もう何十年も前のことだが、いまでも夢を見てうなされる」

瀬川の声が急に暗くなった。

「戦争っていやだね」

「いやだな」

「だれだって戦争はいやなのに、どうしてするのかな」

「人間という奴は、しようのない動物だ。お前たち、戦争はするなよ」

瀬川は、しゃべりながらも目は壁を見ている。本管に出て、七、八分も歩いたろうか、突然立ち止まると、

「ここだ」

と壁を指さした。そこには白いペンキで○印がつけてあり、脇《わき》に鉄のはしごがある。

「この上が公園だ」

瀬川は、懐中電灯を上に向けた。鉄のふたが、丸い光の輪の中に見えた。

「懐中電灯で照らしていてくれ」

英治は、自分の懐中電灯を上に向けた。瀬川ははしごをのぼると、解放区から持ってきた鉄棒で、ふたをこじあけはじめた。

何分かがたって、英治は上に向けている首が痛くなったとき、やっと隙間《すきま》ができたらしい。

「だれか、たのむ」

瀬川と交代して、安永がはしごをのぼった。安永はそこに鉄棒をつっこむと、音もなく動かした。それから、ゆっくりと首を上に突き出した。

「だれかいるか？」

英治が声をひそめて聞いた。

「だれもいねえから上がってこい」

安永は、そう言うが早いか、からだはもう外に出ている。英治が首を出すと、安永は砂場の脇の水道から水を出して、顔を洗っているところだった。

「いいか、これからわしは立石といっしょに、立石の家に行って車を持ってくる。それまでみんなは、人目につかないように、ここで待っていろ」

瀬川の声を背中に聞いて、英治も外へ飛び出した。

たいして広くない児童公園は、水銀灯に照らされて白っぽく見える。風がぴたりと止まって蒸し暑い夜であった。

四人がからだを洗って、ベンチに腰をおろすとちょうど九時であった。はたして、純子と久美子はくるであろうか。英治は、あたりを見まわした。

「あ、きたぞ」

最初に見つけたのは吉村である。まだ遠くて、二つの人影が見えるだけだ。やがて、純子と久美子だとはっきりわかった。ベンチに腰かけている四人に向かって手を振った。

二人は、四人に近づいたとたん、

「臭《くさ》い。なんのにおい」

と顔をしかめた。

「におうか?」

「におうかじゃないわよ。まるでドブみたい」

「そのドブからやってきたのさ」

「きゃッ」といって、二人は飛びのいた。

「まあ、聞けよ」

英治は、鼻をハンカチで押さえている二人に、抜け穴の秘密を説明した。

「あそこから出てきたの?」

二人は、マンホールを見に行った。

「真っ暗じゃん。こわくなかった?」

「そりゃ、こわいさ。でっかい鼠がいるんだ」

「きゃッ」

また、二人は大袈裟《おおげさ》におどろいてみせた。

「おれたち、これから何するか知ってるか?」

「何するの？」

「泥棒に行くのさ」

「泥棒？」

「大きな声出すなよ。それより、君たちこの時間によく家を出られたな」

「うちのおやじは女のところだし、おふくろは芝居見物だもん。へっちゃらさ」

久美子が言うと、純子が、

「うちは、ママが入院で、子どもが六人もごちゃごちゃしてるでしょう。一人くらいいなくなったって、気がつきゃしないわよ」

英治は、おかしくて笑い出した。

「柿沼の方はどうなった？」

「そのことだけど……」

純子は、砂場に目を落とした。

「私はこう考えたのよ。柿沼君は、窓から建物か煙突を見ただけで、清掃工場だとわかった。ということは、柿沼君がいつも見ているN橋の工場しかないと思うの」

「純子さえてるな。たしかにそのとおりだ。よその町にあるのだったら、清掃工場かどうかわかるわけがねえ」

「そうでしょう。そうなればもうしめたものよ。繁華街の近くの児童公園は、調べてみたら三つしかなかったわ。その中で清掃工場の煙突が見えそうなところは一か所だけ」

「やったあ。じゃあ、見つかったと同じじゃんか？」

「まだよ。次にやることは、どこに監禁されてるかってことよ」

「あの辺も、うちはたてこんでるんだろう？」

「そりゃそうよ。だけど、ほかの人に知られずに、柿沼君を隠せる家はそんなに多くはないと思うわ」

「倉庫みたいなところか？」

「ちがうね。私は、アパートみたいなところじゃないかと思う」

「そうか……」

英治は、純子みたいには頭が回転しない。

「チャンスは一つあるのよ、ママに聞いたところによると、犯人は、いままで電話はいつも公衆電話でかけてきたんだって」

「それがどうしたんだ？」

「あしたの十一時に犯人は電話してくることになってるんだけど、そのときも、きっと公衆電話でかけてくると思うんだ」

「そうか。犯人は隠れ家《かくが》から出てくるんだ」

「そうよ」

「君って、名探偵《たんてい》だな」

「見直した？」

「見直したぜ。おれたちもタローをつれて応援に行くからな」

「タローって、佐竹君とこの犬？」

「そうさ。こいつに柿沼の持ちもののにおいを嗅《か》がせれば、一〇〇メートル以内ならきっと見つけ出せるんだ」

佐竹は自慢そうに言った。

「じゃ、柿沼君の何かが必要ね？」

「帽子でも靴でもいい。君のママに言って借りてきてもらえないかな？　もちろん、おれたちが動くってことは秘密だぜ」

「わかったわ。それで、柿沼君見つけたらどうするの？」

「もし、見張りが残っていたとしても、タローがやっつけてくれる。そうしたら柿沼を解放区へつれて行くんだ。きっと、行きたいって言うと思うんだ」

「そりゃそうよね。じゃ、犯人は警察に引きわたすの？」

純子は、ようやく鼻にあてたハンカチをはずした。

「見張りがいたら警察にわたす。もし犯人が一人だったら、解放区につれて行く」

「つれて行ってどうするの?」

「子どもに手出しした汚ねえ野郎だ。みんなでたっぷりオトシマエをつけさせてもらうのさ」

安永は、指の関節をぼきぼきと鳴らした。

「おもしろそうね。あたしも、ライターで鼻毛くらい焦《こ》がしてやりたいよ」

久美子が言った。

「処刑はおれたちにまかせてくれよ。それより、盗聴の方はうまくいってるか?」

「いってるよ。あさっての夜、おやじと校長と、警察署長と議員が会うよ」

「どこで?」

「玉すだれよ」

「玉すだれが、ひとみの家だってことがわかってやるのかな?」

吉村が言った。

「知ってるわけないよ。決めたのは市長らしいよ。六時半からだって」

「なんだって、そんなにいろんな連中がやってくるんだ?」

「どうも、こんどの市長選挙のことらしいよ」

「事前運動か……」

「多分ね。会が終ったら、ポルノビデオの鑑賞会だって」

「市長に、校長に、警察署長が、おそろいでポルノを見るってのはおもしろいな」

英治は、それを放送するときのことを考えて楽しくなった。

「ひとみのところなら、部屋に盗聴器を仕掛けられるな？」

「それより、もっといい方法があるから、まかしといて」

久美子が言ったとき、公園の脇にライトバンが停まった。ボディーには立石煙火と書いてある。立石が窓から顔を出すと、

「早く乗れ」

と言った。

「じゃ、あした」

英治とあとの三人は、純子と久美子にそう言い残して車に飛び乗った。運転しているのは瀬川である。

車は街の中を抜けて堤防に出た。あけ放った窓から入ってくる夜気が、顔を心地よくくすぐる。

「やっぱり外はいいなあ」

吉村が目を細めて言った。たしかに、こうして夜道をドライブするのは快適だが、これからしなければならないことを考えると、つい心が重くなってくる。

「うちにはだれもいなかったのか？」

英治は聞いてみた。

「おばあちゃんと妹がいたよ」

「見つからなかったか？」

「見つかったよ」

「どうした？　何か言われたか？」

「なんにも言わねえ。だって、妹は寝てたし、おばあちゃんは恍惚《こうこつ》なんだよ。おれの顔見て『こんばんは』って笑ってたよ」

英治は胸のつかえが一つ取れた。

堤防を十分ほど走ったとき、立石は「そこを左に下って」と瀬川に言った。車は堤防沿いに道を下る。片側は長いコンクリート塀《べい》がつづく。それが尽きると、有刺鉄線で囲まれた空地《あきち》であった。

そこまでくると、車も人通りもすっかり絶えた。

「あれだよ」

立石は前方を指さした。車のライトで、高いコンクリート塀が照らし出された。それは、いつだったか見た小菅《こすげ》拘置所《こうちしょ》のミニチュアだ。

車は鉄の門の前で止まった。立石は車をおりると、鉄の門に鍵《かぎ》を突っこんでまわした。

こんなところへ、パトカーでもやってきたらたいへんだ。英治は、あたりを見まわしながら、気が気ではなかった。

鉄の門がきしみながらあいた。瀬川は、車をゆっくりと中へ入れる。立石が門を閉めた。これで、外をだれかが通ったとしても、中で何をやっているか見えない。英治の動悸《どうき》はようやくおさまった。

塀に囲まれた中心に、窓一つないコンクリートの建物があった。これが花火倉庫にちがいない。それにも鉄の扉《とびら》があった。

立石はその前に進むと、また鍵をさしこんだ。こんどはわりと簡単にあいた。

「こい」

立石に言われて、みんなあとにつづいた。立石の懐中電灯が、中をなめるように照らす。スチールの棚《たな》に、ダンボール箱がきちんと並んでいる。床《ゆか》には、丸い玉が並んでいる。

「こいつが割物《わりもの》といって、打ち上げ花火さ。そっちの小さいのが三号。大体一二五メートルくらい上がる。向こうの大きいのが十号、これは三三〇メートル上がる」

立石は、花火のことになると、ブレーキが効かなくなったみたいに喋《しゃべ》りはじめる。

「このダンボール箱に入っているのが枠仕掛《わくじか》けだ。五、六センチくらいの紙の筒《つつ》に、火薬がつめこんである。ランスというんだけど、そいつをつないで字や絵をつくるんだ」

「火をつけると、どのくらい燃えてるもんなんだ？」

「そうだな、一分くらいかな。こっちは玩具《おもちゃ》花火だ」

立石は、棚のダンボール箱をつぎつぎと英治にわたした。英治はそれを安永に、安永は佐竹に、佐竹は吉村に。吉村は、入口にいる瀬川にわたす。瀬川は、それを車に運んだ。

ダンボール箱を五個運び出すと、立石はみんなを外に出して、鉄のドアーを閉めた。

「だれか、外を見てくれないか」

安永が門を細目にあけて外をうかがう。

「だれもいねえ」

安永は門をあけた。車はゆっくりと外へ出る。立石は門に鍵をかけた。全員が車に乗りこむ。

「よし、出発だ」

瀬川が言った。それまで息をつめていた英治は、車が動き出すと同時に、大きく息をした。

——やっぱり、泥棒はいやだ。

車は、ふたたび堤防に出た。急に心が軽くなった英治は、無性に喋り出したくなった。

四日　救出作戦

1

その日、柿沼産婦人科病院に〝本日休診〟という貼《は》り紙が出されたが、関係者以外その理由を知る者はいなかった。

午前九時になると、広い待合室に男子生徒の母親二十人と、PTA会長の堀場千吉、入院している橋口純子の母親暁子《あきこ》が集まった。

学校からは、教頭の丹羽、生活指導主任の野沢、担任の八代がやってきた。それに所轄署の杉崎《すぎざき》が加わった。

「みなさん、きょうはお暑いところ、早朝からお集まりいただいてご苦労さまです」

堀場千吉が、立って挨拶《あいさつ》した。

「今回の柿沼君誘拐《ゆうかい》事件は、男子生徒の暴動と、ちょうど符節を合わせるように行なわれたので、たいへんに混乱いたしましたが、まず、捜査の経緯《いきさつ》を杉崎警部からご報告していただきます」

千吉は隣に座っている杉崎を立たせた。小肥りで猪首《いくび》、ごつい容貌《ようぼう》は、黙っていても警察官だとわかる。

「私が杉崎でございます。現在、捜査の進行中でもありますので、誘拐事件ということでマスコミにも報導管制を敷いてもらっております。しかし、みなさんは当事者ということで、これまでの捜査経過をご報告しますが、このことにつきましては、人命がかかっていますので、決して口外なさらぬようおねがいいたします」

杉崎は、テーブルに置かれたオレンジジュースを一口飲んだ。

「犯人の第一回の電話は、七月二十日の午後七時。その際直樹君の命と引き替えに千七百万円を要求してまいりました」

この時点では、男子生徒全員が誘拐されたのではないかということになって大騒ぎになったが、それは、翌日子どもたちが解放区放送で否定したので、結局誘拐されたのは柿沼一人ということになった。

ただし、捜査当局はこの誘拐事件が、解放区闘争と無関係かどうかということについては、結論を出していない。

翌二十一日、身代金《みのしろきん》の用意ができたかという電話があったが、院長の柿沼靖樹《やすき》は、直樹の手紙を受け取り、無事であることが確認できなければ払えないと突っぱねた。

二十二日、直樹の手紙と同時に電話があり、二十三日の午前十一時にもう一度電話するから、そのとき、身代金を持ってすぐ出られるよう要求があった。

これが、きょうまでの経緯である。

「ちょっと、よろしいですか?」

詩乃は、見る影もなく憔悴《しょうすい》した奈津子の姿に、胸がしめつけられるように痛んだ。

「どうぞ」

杉崎は、またジュースに口をつけた。

「事件の経緯より、犯人の心当りですけれど、それはどうなんですか?」

「残念ながら、まだ五里霧中です」

「犯人は、こちらのことをよく知っている人物じゃございません？」

「あなたのおっしゃりたいのは、患者ということですか？」

「ええ」

「その線は調べましたが、容疑者と思われるような人物は浮かび上がってこないのです」

さすがは警察である。手ぬかりはない。

「もう一つ。身代金千七百万なんて、どうしてこんな半端《はんぱ》な金額を要求してきたのでしょうか。それに、こう申しては失礼ですけれど、金額も少な過ぎますわ」

「それはいいご指摘です」

警部に褒《ほ》められて、詩乃は、少しばかりいい気持ちになったが、すぐ、はしたないことを言ってしまったと反省した。

「この金額といい、すぐに直樹君の手紙を送って寄こすところといい、この犯人は、それほど凶悪な男とは思えないんですけれど……」

「それは、いまの段階ではなんとも申し上げられません」

「じゃ、直樹君に万一のことがあるとでも……？」

「いままでのところは無事だと思います。問題は、身代金をわたしたあとです」

「わたすと同時につかまえればいいじゃございません？」

「もちろん、それが最善ですが、それには、協力していただかないと……」

「直樹が帰ってくるまで、そっとしておいてください。おねがいします」

靖樹が、しぼり出すような声で言った。

「そうよ。犯人をつかまえるより、直樹君の命の方が大切ですわ」

「もちろん、われわれも同じ考えです。ただ、身代金をわたしたら、それですんなり解放してくれると考えるのはどうでしょうか」

「でも、犯人は凶悪ではなさそうだっておっしゃったでしょう」

「凶悪でないと言ったのは、誘拐したらすぐ殺しはしなかったという意味です」

「お金を受け取ったんだから、殺す必要はないでしょう」

「そう言われますが、直樹君は中学生です。犯人の顔も覚えているにちがいありません」

杉崎が言った。

「じゃ、身代金をわたしたら殺すっておっしゃるの？　それはひどいわ」

奈津子は、身をよじって顔を押さえた。

「いまの警部さんのお話を聞いていると、警察は、全然手がかりをつかんでいないんでしょう？」

暁子が、けだるそうな声で言った。まだ、出産して五日目だから無理もない。

「ええ、いまのところは」

「子どもたちは、何かつかんでるようよ」

「え？」

杉崎は、暁子の顔を凝視《ぎょうし》した。

「子どもたちって……？」

奈津子が聞いた。

「うちの娘たち。二組の女子生徒よ。なんだか手がかりをつかんだみたいで、けさ早くから家を出て行ったわ。うそだと思うなら、二組の女子生徒の家に電話なさったら？　きっと、いないと思いますわ」

奈津子は、反射的に立ち上がって、待合室を出て行った。

「橋口さんのおっしゃることを聞いていると、女子生徒が犯人捜しをしているふうに受け取られますが、それはちょっとちがうんじゃないでしょうか」

杉崎の言い方はいんぎん無礼そのものだ。うわべはていねいな口調だが、心の底では、問題にもしていないといった態度がみえみえである。

「いいえ、私にはそうは思えません。子どもたちは、直樹君を見つけ出すんじゃないかしら。そんな気がしてならないんです」

「ほんとうですか……？」

靖樹は声をはずませた。

「何を言っているんですか。プロのわれわれが、これだけ頑張っても手がかりすら得られないんですよ。そういういい加減な気安めはよしてください」

「じゃ、お聞きしますけど、もし子どもたちが助け出したら、警部さんどうしますか？」

「そのときは頭を丸めますよ」

「ただ頭を丸めただけじゃつまらないわ。そうだわ。二十五日の花火大会の夜、なにか余興をやっていただきますわ」

「結構です。なんでもやりましょう」

杉崎が胸を張って言ったとき、奈津子が待合室にもどってきた。

「いま五人のお宅に電話したんですけれど、どこにもお子さんがいらっしゃいません」

「どこへ行ったんですか？」

「どこへ行くとも言わず、朝早くから、ふらっと出かけて行ったそうです」

「そんなばかな……」

久美子の父親堀場千吉は、みなまで聞かずに待合室を飛び出して行ったが、あっという間にもどってきた。

「うちの娘も出かけたそうです」

憮然《ぶぜん》とした顔で言った。

「もしかしたら、解放区へ行ったんじゃないかしら？」

吉村美也子《みやこ》がぽつりと言った。

「まさか……」

「いや、考えられないことはありませんよ」

杉崎は堀場千吉の顔をじっと見つめた。

「もしそうだったら、これはたいへんなことですぞ。不純異性交遊だ。警察はすぐ解放区へ行って捜索してください」

「女子生徒が解放区へ行くわけないじゃありませんか。いまの子どもはもっと利口ですよ。もう少し信頼した方がいいんじゃないですか」

一見茫洋《ぼうよう》と見える暁子が、なぜ、こんなに自信をもって子どものことを言い切れるのか、詩乃には不思議だった。

「犯人からの電話は何時にかかってくるんですか?」

千吉が奈津子に聞いた。

「十一時です。電話があったら、身代金を持って、どこへでも行けるよう用意してあります。お金をわたしても、もし直樹が帰ってこなかったら、私もあとを追って死ぬ覚悟です」

「死ぬなんて、みなさんの前で大袈裟《おおげさ》なことを言うもんじゃない」

靖樹がたしなめた。

「大袈裟じゃありません。直樹は私のすべてです。あの子のいない人生なんて、私には無意味です」

「逆上するんじゃない。もっと冷静になりなさい」

「あなたは、直樹がどうなっても平気なのよ。ええそうだわ。そうにきまっています」

「なんてことをいうんだ、直樹は君だけの子じゃない。ぼくにとっても、かけがえのない宝だ」

「よくも、しらじらしく言えること。いままで黙っていたけれど、私は、あなたに隠し子がいること、ちゃんと知ってるのよ」

「それは君の妄想《もうそう》だ。精神安定剤でも飲みなさい」

「薬でごまかそうたって、その手には乗りませんからね。大体、あなたが女にうつつをぬかしたりするから、子どもを誘拐されるようなことが起きるんだわ。もしかしたら、この誘拐あの女がやらしたんじゃない？」

「みなさんすみません。家内は錯乱《さくらん》してしまったようです。おーい。だれかきてくれ」

靖樹が奥に向かってどなると、看護婦が二人やってきた。

「奥さんをつれて行ってくれ」

「私は正常です。いいから、あなたたち行きなさい」

看護婦は、二人の間につっ立ったまま、からだをもじもじさせている。

「奥さん、言いたいことのあるのはわかりますが、それはあとで、お二人で話し合っていただくことにして、ここはどうやって直樹君を救い出すか、そのことを話し合いましょうや」

千吉が仲に割って入った。

「はしたないことをお聞かせして、申しわけありません」

奈津子は、恥ずかしそうに深々と頭を下げたが、詩乃は、杉崎の目が光ったのを見逃さなかった。

それにしても、男と女の仲というものはわからないものだ。奈津子は詩乃に会うたび、夫ののろけ話ばかりしていたので、てっきり二人は夫婦円満とばかり思っていた。

夫の英介だって、表面は模範的なサラリーマンだが、かげで何をやっているかわかったものではない。詩乃は、急に男が信じられなくなった。

「誘拐事件の方は、われわれではどうしようもないので、プロの警察におまかせするとして、問題は例の解放区です。このまま放置していいものでしょうか……？」

教頭の丹羽は、母親たちの顔をゆっくり眺《なが》めまわした。

「私はきのう現場には行けなかったので、テレビで見ましたが、なんですか、あのざまは。教師たるものが、子どもたちにいいようにからかわれ、それをおもしろおかしくテレビで放映されるとは。私は情けなくて涙が出ました。こんな教師に子どもをまかしておいたら、どんなことになることやら心配でなりません。みなさんだってそうでしょう。ね」

堀場千吉の勢いに押されて、母親たちは黙ってうなずいた。

「とにかく、機動隊にたのんでただちに中に突入し、全員を補導すべきです」

「補導というのは、少年院とかそういうところへ入れるんでしょうか?」

宇野の母親千佳子が、消え入りそうな声で聞いた。

「もちろんです。これは、たばこやシンナーを吸ったとか、先生をなぐったり、学校の器物を破損したりするのとは質がちがいます」

「全員が非行少年とはちがうと思いますけれど……」

「非行少年の方がまだいいです。これは、そんなものとはくらべものにならんほどたちがわるい」

「とおっしゃいますと?」

詩乃は、ついつっかかる調子になった。

「いいですか、彼らは既成の秩序をぶちこわそうとしているのです。これをわれわれが黙認していたらどうなると思いますか。まちがいなくアナーキストかテロリストです。彼らは、かつての全共闘がやったと同じように、学校をぶちこわしにかかるでしょう」

千吉は興奮するとやたらにつばをとばすので、詩乃はからだをよけるようにした。

「悪の芽は、早いうちにつみ取るべきです。もしこれが連鎖反応をおこして、日本中の中学生がこのまねをしたらどうなりますか。日本の将来はめちゃめちゃになりますよ」

「それはちょっとオーバーじゃございません? 相手はたかが子どもですのよ」

佐竹の母親紀子がソプラノで言った。

「とんでもない。あの連中の行動をただの子どものやるいたずらだとばかにしていたら、とんでもないことになります。私は、むかしから動物的な勘を持っているんです。だからわかるんですよ」

「でも、警察の力で押しつぶそうとするのは感心しませんわ」

「じゃ、どうすればいいんですか？　われわれが出かけて行って説得したら、言うことを聞くと思いますか？　きのうのテレビを見ればわかるでしょう」

「ここは、やはり先生におねがいするしかないと思いますわ。それでもだめだったら、そのときに対策を考えたらいかがでしょう？」

詩乃が言うと千佳子が、

「あの子たちは、けっして悪気があってしたのではないと思います。話せばわかりますから、罪人にだけはしないでください」

と杉崎に言った。

「少なくとも罪にはなりませんよ。全員十四歳以下ですからね。十四歳以下は刑法に触れないんです」

「ああ、よかった」

千佳子は両手で胸をさすった。

2

仕掛花火を出すためには、まず木の枠《わく》を作らなければならない。

屋上では、立石が中心になって、小黒、佐竹、宇野の四人が、朝の七時から作業にかかった。枠にする木は工場の中にいくらでもある。ただし、それを屋上まで運び上げるために、非常階段を何度も上り下りしなければならない。

英治が九時二十分の定時連絡のため屋上に上ると、四人ともばててひっくりかえっていた。

「ナンバー14からどうぞ」

きょうは、河川敷《かせんじき》に立っているのは谷本一人である。

「ナンバー7どうぞ」

「けさ、柿沼んちへおふくろたちと、セン公、それにポリ公が集まったぜ」

「なんの目的だ？」

「柿沼と解放区のことさ」

「柿沼のこと、何かわかったのか？」

「全然」

「それでもプロかよ。解放区のことは？」

「女子がけさから全員いなくなっちゃったんで、おどろいてるぜ」

「ここへきたんじゃないかって言わなかったか？」

「そうなんだよ。よくわかるな」

「おとなの考えることなんて、みんなお見通しさ。じゃ、女子が何をやってるのか気づいてねえのか？」

「純子のおふくろが、柿沼を捜しに行ったたって言ったんだけど、そこにいたポリ公が全然信用しねえんだよ。もし、子どもたちが柿沼を助け出したら、花火大会の夜に、頭を丸めて余興をやってもいいってさ」

「そいつはおもしろい。やってもらおうじゃねえか」

相原が、いつの間にか脇《わき》にいた。

「それはいいけど、校長がきょうそこへ行くぜ」

「もうやめろって言いにくるのか？」

「それもあるけど、女子が隠れているんじゃねえかと探《さぐ》りに行くんだ」

「そいつはおもしろいや。歓迎するぜ」

「中に入れるつもりか？」

「入れてやるよ。いま迷路をつくってるから、そこに案内するよ」

「迷路？　おもしろそうだな」

「すげえのができるぜ。ただし、完成はあしただから、きょうはお引き取りねがうよ」

「そんなにすげえんなら、校長だけじゃもったいないな」

「そうなんだよ。いくらでも入れてやるぜ」

「おれも見てみたいな」

谷本は、いかにも残念そうに言った。

「肝心《かんじん》のことを聞くのを忘れてたよ。犯人からの電話は何時だ？」

「十一時だ。柿沼のおやじは、電話があったらすぐ出られるよう、千七百万円用意したってさ」

「十一時までに、柿沼が見つけられるかな」

「みんな、自信満々だったけどな」

「犯人からの電話は盗聴できるのか？」

「そっちはバッチシだ。電話機に盗聴器つけると警察にばれるから、純子のおふくろにたのんで、電話のある部屋にセットしてもらったんだ」

「純子のおふくろって、ずいぶん協力的だな。おとなにしちゃ、珍しいぜ」

「なかには、そういうおとなだっているさ。十二時になったら、トランシーバーをあけといてくれよ」

「了解」

「じゃ、頑張ってくれよ。バイバイ」

谷本の声が消えた。

「谷本ってのは、こういうとき俄然《がぜん》たよりになるなあ。それに、純子のおふくろもいいひとだな」

相原は、しきりに感心した。

「おい、西脇先生がきたぞ」

道路を見おろしていた佐竹が言った。屋上の六人が非常階段を二階まで駆《か》けおりると、みんな正門から首を出して、わいわいしゃべっている。

英治は、二階の窓から顔を出して言った。

「お早う、先生」

「お早う」

西脇は、二階に向かって手を振った。きょうの西脇は、黒のTシャツに白のスカート、濃いめのサングラスをかけて、赤いファミリアの脇に立っている。

「先生、かっこいいじゃん」

「ほんと？　からだこわした人いない？」

「いねえよ。ぴんぴんさ」

「もう音をあげるかと思ったのに、案外強いわね。見直したわ」

「先生、きょうデート？」

「あら、どうして？」

「見りゃわかるさ」

安永が言った。

「ちがうわよ。きょうはおにぎりと西瓜《すいか》を持ってきたから、車で来たの」

「西瓜？　おれ、きのう夢を見たんだ。ずばりあたったぜ」

立石が、手をたたいて喜んだ。

「早くロープをおろしなさい」

安永は、それを待っていたようにロープをおろす。西脇が、おろしたロープに袋をくりつけた。安永が引き上げる。けっこう重そうだ。

「おい、三個もあるぞ」

安永が袋をのぞきこんで言うと、喚声が湧《わ》き起こった。

「おにぎりが五十個あるわ。朝早くからつくったのよ」

「ありがとう。先生」

安永は、またロープをおろした。それに袋を結びつけながら、

「あなたたちにちょっと聞くけど、そこに女子いる？」

と西脇が聞いた。

「いないよ。どうしてそんなこと聞くんすか？」

吉村が聞きかえした。

「あなたたちのクラスの女子が全員、けさからいなくなっちゃったんだって。お母さんたちは、ここじゃないかって騒いでたわ」

「ここはボーイズ・オンリーなんだ。女子を入れるわけないすよ」

相原が言った。

「じゃ、どこに行ったのかしら?」

「柿沼を捜しに行ったのさ。おとなにはまかしておけねえから」

「そういうことだったの。それを聞いて安心したわ」

「そのことで先生に頼みがあるんだけどな。聞いてくれる?」

「いいわよ。どんなこと?」

「柿沼んちへ行くと、橋口純子のおふくろが入院してるんだよ。そこで柿沼の靴《くつ》とか帽子とか、なんでもいいから柿沼のものを、そっともらってきてほしいんだ」

「どうするの?　そんなもの」

西脇は、けげんそうな顔で二階を見上げた。

「もうすぐ、柿沼の居場所がわかるはずなんす」

「ほんと?」

西脇は、信じられないという顔をした。

「ほんとさ。だけど、人間じゃ場所はわかっても、中へ入らなけりゃわかんないでしょう。だから、そいつを犬に嗅《か》がせて捜すんですよ」

「そうか。いいこと考えたわね。でも、犬はどこにいるの？」

「ここにいるよ。すげえのが」

「へえ、おどろいたわね」

西脇の髪が風に揺れて額にかかった。

「ほんとは、純子に持ってきてくれって頼んだんだけど、あいつ忘れちゃったんすよ」

「橋口さんのお母さんに会えばわかるの？」

「ちゃんと話はついてるから、黙ってわたしてくれるはずです」

「いいわ。持ってきてあげる」

「サンキュー。十時半までに、学校の隣の児童公園に持ってきてほしいんだけど、いい？」

「あんなところに、どうして持って行くの？」

「秘密の抜け穴があってね。おれたちはそこで待ってるんだ」

英治が言った。

「へえ……」

西脇は、呆《あき》れたように英治を見上げた。

「ついでに、もう一つ頼みがあるんだけど」

「なによ？」

「そこには自動車で来てくんないかな。柿沼のいるところまでつれて行ってほしいんだよ」

「あなたたちにはかなわないわね。でも、場所はわかるの？」

「いまはわかんないけど、十一時までには、女子がきっと見つけ出すはずなんだ」

「やるわね。あなたたち」

「言っとくけど、これはオフレコだからね」

「わかってるわよ。あ、だれかくるから私は行くわよ」

西脇は、運転席へからだを入れたかと思うと、すごい勢いで発進させた。

「おい、あれは校長と教頭だぜ」

相原に言われるまでもなく、英治も、一目見ただけでそうだと思った。ハゲ、チビ、デブの榎本と、電信柱みたいにひょろ長い丹羽である。見まちがうはずがない。

丹羽は、大股《おおまた》でゆっくり歩いているのに、短足の榎本の方は半分駆《か》け足である。正門の前までやってきたときは、苦しそうに肩で息をしながら、顔をハンカチで拭《ふ》いた。

「諸君、元気か？」

息を喘《あえ》がせながら言った。

「それはこっちが聞きたいぜ」

安永が言った。

「ありがとう。私は大丈夫だ。熱が出たり、腹をこわした者はおらんか?」

「偽善者ぶらずに、何しに来たのか早く言えよ」

「私は君たちの様子を見に来たのだ。心配だからな」

「ちがう。女子生徒がいるかどうか、探《さぐ》りに来たんだろう?」

「そうか、やっぱりいるんだな」

「いねえよ」

「じゃ、中を見せたまえ」

「いいよ。だけど、きょうはだめだ」

相原がきっぱりと言った。

「どうして、きょうだといけないんだ?」

榎本は、やっと動悸《どうき》がおさまったらしい。

「きょうだと準備ができないのさ」

「準備ってなんのことだ?」

「せっかくきてくれるんだから、歓迎したいんだよ」

「ほう、なかなか感心なことを言うじゃないか」

榎本は頰《ほお》をゆるめた。

「そうさ。楽しみにしてくれよ」

「わかった。では、あす出直すことにしよう」

「あした、また入れないなんてことはないだろうな？」

丹羽が念を押した。

「子どもは信ずることさ」

「わかった。時間は何時だ？」

「十時。一分でもおくれたら入れないよ」

「よろしい。ところで、君たちに言いたいことがある」

榎本は、額の汗を拭いた。

「わかってるよ。出てこなけりゃ、警官を呼ぶってんだろう」

「どうして、そんなことを知っとるんだ？」

榎本は、丹羽と顔を見合わせた。

「おれたちって、おとなの考えてること、なんでもわかっちゃうんだ。ついでに言っとくけど、女子はきょうの午後には家に帰ってきて、柿沼は見つかるぜ」

「いい加減なことを言うな」

「いい加減なことじゃないさ。あんたたちにまかしといたら、柿沼が殺されちゃうから、おれたちで見つけることにしたんだよ」

「ばかなこと考えるのはよしたまえ。そういうことは、警察にまかせておけばいいんだ。君たちは……」

「親やセン公の言うことを聞いて、勉強すればいいって言いたいんだろう。言いたいことはわかってるんだから、もう帰ってくんないかな。おれたち、いまからおやつの時間なんだ」

相原は、それだけ言うと、二階の窓から首をひっこめた。

「さあ、西瓜《すいか》を食いに行こうぜ」

非常階段に飛び出すと、広場の真ん中に西瓜を三つ並べて、安永がナイフで切ろうとしているのが見えた。そのまわりをみんなが取り巻いている。

「おーい、おれたちの分もちゃんと残しとけよ」

英治は、いっさんに非常階段を駈けおりた。

3

英治は、マンホールの蓋《ふた》を少し持ちあげて外を見た。児童公園に人影はない。

「だれもいねえ。出ようぜ」

英治は、俊郎とタローをまず外に出した。それから、英治、安永とマンホールから出た。

暗い地下道から急に明るいところに出たので、眩《まぶ》しくて目があけていられない。

「まず、からだを洗えよ」

走り出す俊郎に言った。地下道を歩くのも二回目なので、こんどは意外に早く来れた。約束の十時半にはまだ五分もある。

解放区を出るとき、瀬川が、

「敵は何人いるかわからねえから、絶対無理するなよ」

と忠告してくれた。しかし、やっと出番のまわってきた俊郎は、手のつけられないくらいはしゃいでいる。腕力に自信のある安永も、犯人を見つけたら、ただではすまさねえと張り切っている。

どういうことになるのか、英治は心配だった。

下水道で一度も転ばなかったので、顔と手足を洗うと臭《くさ》みはすっかり消えた。いつもだったら、子どもたちが遊んでいる児童公園も、真昼のこの暑さでは、遊びに来る者もいない。

十時半きっかりに、西脇のファミリアが公園の脇に停《と》まった。

三人は、ファミリアに向かって走った。西脇がそれを見つけてドアーをあけた。助手席に俊郎とタロー、リアシートに安永と英治が転げこむようにして乗った。

「OK。行き先はN橋」

車は発進した。西脇は前方に目を凝《こ》らしながら、紙袋を隣の俊郎にわたした。

「柿沼君の運動靴と帽子。それにマンガの本」

俊郎は、まず帽子をタローの鼻先に持ってゆき、それを十分嗅《か》がせてから、つぎは運動靴、マンガと順に嗅がせた。

「そんなことでわかるの？」

「わかるさ。一〇〇メートルまで近づければ完璧《かんぺき》だよ」

俊郎は自信満々である。

「柿沼君見つけたらどうするの？」

「解放区へつれて行くんです」

「お父さんとお母さんに知らせてあげないの？」

「知らせないよ」

「だって心配してるわよ」

「そんなの、おとなの勝手さ。柿沼を助けたら、つぎは犯人をつかまえるんだ」

「よしなさい。もし向こうが凶器を持っていたらどうするの？　警察にまかせなさい」

「こいつは、おれたちだけで全部とりしきるのさ。これがあるから大丈夫だよ」

安永は、おもちゃのピストルを西脇のこめかみにあてた。

「何をするの？」

西脇が悲鳴をあげた。

「おもちゃだけど、本物らしく見えるだろう？」

「おどかさないでよ。交通事故おこすじゃないの」

急停車したので、英治は前につんのめって、西脇の頰《ほお》に顔がくっつきそうになった。いい匂《にお》いがした。

「先生って、いい匂いだな」

「あなたたち、ちょっと臭《くさ》いわよ」

「そりゃそうすよ。ドブの中を歩って来たんだから」

「でも、からだは毎日洗ってるよ」

俊郎が言った。

「どうやって？」

西脇が聞いた。

「消火栓《せん》の水を噴水みたいにしてさ。それをみんなでかぶるんだよ。おもしろいぜ」

「そう……。先生もやってみたいな」

「女はだめさ」

「あら、どうして？」

「だって、おっぱいが見えちゃまずいよ」

西脇は、信号の一区間笑いつづけた。

「あなた、まだ小学生でしょう。どうしてあそこにいるの？」

「佐竹の弟で俊郎っていうんだよ。この犬、こいつの言うことしか聞かないから、特別に参加させたのさ」

「へえ、すごいのね」

西脇があんまり感心するので、俊郎は、

「それほどでもないさ」と照れた。

車は、英治の指示で何度か角を曲がって、ようやく純子が言った、小さな児童公園が見つかった。

「先生、ここで待っていてくれないかな」

「いいわよ。この近くに柿沼君はいるの？」

「そのはずなんだけど……。柿沼を助けたら、わるいけどさっきのところまでつれてってくれる？」

「OK。なんだか私も、あなたたちの仲間みたいな気持ちになってきたわ」

西脇の表情からおとなっぽさが消えて、目がきらきらと輝きはじめた。

三人とタローは車の外へ出た。児童公園にはだれもいないと思ったら、だしぬけに中山ひとみが、

「こんちは」と姿をあらわした。

「ついてきて」

ひとみは、三人の前を足早に歩く。角《かど》を曲がったところに喫茶店があった。

「ここに橋口さんと堀場さんがいるわ」

ひとみにつづいて三人が入ろうとしたとき、

「坊や、犬は困るな」

と主人らしい男が俊郎に言った。安永が文句を言いかけると、

「ぼくは、さっきの公園にいるからいいよ」

と俊郎は言って戻って行った。

席に座った安永は、持ってきた紙袋から、くたびれたジャケットを取り出して着た。

「安永君。なによ、そのかっこう」

久美子は、安永を見るなり口を押さえて笑い出した。

「やっぱな」

「だけど、それはあんまりひど過ぎるよ」

純子まで笑い出したので安永はくさった。

「しかたねえだろう。瀬川のじいさんが、どこかから拾ってきたんだから」

「こんなところで、のんびりしてていいのか?」

英治は純子に言った。

「のんびりなんかしてないよ。こう見えたって見張ってるんだからね」

「何を……?」

「あれさ」

純子は、道路の向こう側を指さした。

「あれじゃわかんねえよ」

「あそこに、二階建てのアパートが見えるでしょう?」

「見える。壁がはげたアパートだろう」

「そうよ」

「あそこに柿沼がいるってのか?」

純子は、黙って大きくうなずいた。

「なぜあのアパートにいるのか、理由を聞きたいでしょう?」

「聞きたい」

「まず、あのアパートと児童公園の距離は、間に家が一軒あるだけ。それから、反対側の横町には、バーと飲み屋が並んでるわ」

「だけど、清掃工場は、ここから見えねえじゃんか」

英治は、窓の外を眺《なが》めまわしながら言った。

「そうよ。だから、私たちもあそこじゃないと思ったのよ。ところがちがうんだな」

純子は久美子と顔を見合わせて微笑《わら》った。

「じらさずにおしえてくれよ」

「あのアパート二階建てでしょう。私、あの鉄の階段を上って二階へ行ったのよ。そうしたら、建物の間から清掃工場の煙突が、バッチシ見えたじゃん、嬉《うれ》しくなっちゃったよ」

「ほかに、そういうところないのか？」

「私たち二十人全員で、この近くは徹底的に歩いたんだけど、あそこみたいに、ぴったり合うところはないよ。でも、念のため、ほかに二個所ほど見張ってるけどね」

「さすが……」

「だけど、あのアパートには部屋が下に六つ、上に六つあるのよ」

「住んでるのはだれだ？」

「サラリーマンみたい」

「下は清掃工場が見えねえんだから上だな」

「そうなのよ。それはいいんだけど、犯人らしい男が出てきたとしても、どこの部屋から出てきたかがわからないじゃん」

「外から見えねえのか？」

「二階まで上がらなくちゃ見えないのよ」

「そんなの問題じゃねえさ」

「どうして？」

「そういうこともあるんじゃねえかと思って、タローをつれてきたんだ。ちゃんと柿沼の靴のにおいを覚えさせたから、柿沼の部屋につれて行ってくれるさ」

「あ、いけない。私、靴を届けるの忘れた」

「そうさ。だから西脇先生に頼んで、君のおふくろのところまで取りに行ってもらったんだぜ」

「ほんと？　ごめんなさい」

「そのかわり、おれたちも先生の車でここまで送ってもらったんだ」

「ずるい、ずるい。男子ばかり西脇先生と仲よくしちゃ」

純子は、だだをこねるように言った。

「先生は公園のところにいるさ」

「きゃあ」

二人は抱き合って喜んでいる。女というのは、どうしてこんなにオーバーなのか英治にはわからない。

「柿沼を助け出したら、例のマンホールまでつれて行ってもらうのさ」

「そういうことか……」

「犯人の姿は見たのか？」

「まだ見てないよ」

「じゃあ、一人か二人かわかんねえな？」

「うん。だけど、そんなにたくさんはいないと思うよ。だって、あのアパートは六畳一間で、キッチンもトイレもないんだから」

「じゃ、電話もないな」

「もちろんよ。だから、十一時になったら、きっと電話しに出てくるわよ。それが犯人にまちがいないわ」

純子の論理は明快である。英治は感心した。

「もうすぐ十一時だから、そろそろ児童公園に行くか。佐竹の弟がタローと待っているんだ」

もし、あのアパートに柿沼が監禁されていなかったらどうなるんだ？　英治は急に心配になってきたが、この二人を信用して、そのことは考えまいと思った。

久美子は、伝票をつかんで立ち上がった。

「おれたち、金は持ってねえぜ」

「まかしときなって」

久美子は、気っぷのいいところを見せた。

「ねえ、安永君、どうしてそんなチンケなかっこうしてきたの？」

表に出ると、久美子が安永に聞いた。

「ガキに見せねえためさ」

「どうして？」

「ガキじゃ、犯人がなめるだろう」

「そういえばそうだね。オトシマエつけるの？」

「もちろんさ」

「じゃ、あたしにもやらせて。カミソリくらい持ってるよ」

「じゃあ、二人でやるか」

「やろうよ。あたし、このごろいい子ちゃんしてるじゃん。欲求不満なんだ」

「おれもさ」

4

十一時三分前。

「もしもし、ナンバー7からナンバー1へ。どうぞ」

「こちらナンバー1、どうぞ」

「いま、犯人らしい男がアパートから出てきた。電話をしに行くつもりらしい。われわれは、いまから救出作戦に向かう。どうぞ」

「了解。成功を祈る」

英治は、トランシーバーを純子にわたすと、車の外に出た。男の姿はすでに見えない。

タローに引きずられるようにして、俊郎は小走りになった。そのあとに安永、英治とつづく。

タローは、ためらわずにアパートまで行くと、鉄の階段を上る。二階の廊下には人影もなく、静まりかえっている。どの部屋《へや》も見向きもしない。いちばん奥まで走って、ドアーを前足でかいた。

「ここだよ。まちがいないよ」

俊郎が言った。英治は木のドアーをノックする。中から答えはない。ノブをひねったがあかない。

「いいから、こわしちまえよ」

安永が言った。

「隣に人がいるかどうか見てきてくれよ」

英治が言うと、安永は、隣の部屋のドアーをノックした。

「だれもいねえ」

英治はポケットからドライバーを出すと、それを隙間《すきま》に突っ込んでこじあけた。木がめりめりと裂ける音がする。安永が、ドアーを思い切り引っ張った。

開いた。

タローが真っ先に飛びこんだ。三人がそのあとにつづいて、土足のまま部屋にあがる。調度品は何もない。タローは、押入れの前でうなり声をあげている。英治は押入れをあけた。隅に、両手両足をしばられ、口にガムテープをはられた柿沼がころがっていた。引っ張り出すと、目をしょぼしょぼさせた。

「お前、ロープを切ってくれ」

英治は安永にそう言っておいて、ガムテープを引きはがした。

「痛えッ」

安永が、ナイフで器用にロープを切った。柿沼は、両手と両足を動かした。口をぱくぱくさせているのだが、最初の悲鳴以外は言葉にならない。

「お前、言葉を忘れちまったのか？」

英治が聞いた。

「ちがうよ。口が動かねえんだ」

中気の老人みたいなしゃべり方だ。思わず笑ってしまった。

「立ってみろ。歩けるか？」

「大丈夫だ」

柿沼は、最初ちょっとよろめいたが、すぐ普通に歩き出した。

「やっぱ、外はいいなあ」

廊下に出ると、柿沼は空を仰いで感激している。

「早く行こうぜ」

英治はせかせた。

「おれの暗号、解いてくれたんだな」

「あんなもの簡単さ。だけど、ここを捜すのは苦労したぜ。といってもおれたちじゃねえ。女子が全員で捜してくれたんだ」

「ほんとか？」

「あの車の中で、純子と久美子が待ってるぜ」

英治は、公園の脇に停まっているファミリアを指さした。

「そうか……。あれ、だれの車だ？」

「西脇先生のさ。あの車でお前は解放区へ行くんだ。いいだろう？」

「もちろんさ」

柿沼は、ようやく元気のいい声を出した。

「みんな、お前がくるのを待ってるぜ」

「ありがとう」

「お礼なんか言うなよ。友だちじゃねえか。水くせえぞ」

安永が、おこったような声で言った。

柿沼をファミリアに押しこむと、純子と久美子が、両側からかじりついた。

「柿沼君、よかったね」

「ありがとう。みんなのおかげだよ」

とたんに二人は火がついたように泣き出した。

「女ってのは、これだからなあ」

安永は、ポケットに両手をつっこんで、石を蹴《け》った。そのしぐさが、英治にはとてもおとなっぽく見えた。

英治は、純子が持っているトランシーバーを取りあげた。

「こちら、ナンバー7。聞こえてますか？　どうぞ」

「聞こえてます。どうぞ」

「トラ・トラ・トラ。どうぞ」

これは、作戦が成功したときの暗号だ。

「やったあ！　すげえぞ」

「では、われわれはパート2にとりかかる。ナンバー6は、われわれといっしょに帰る」

「了解。では、ふたたび成功を祈る」

英治は、トランシーバーをオフにした。

「久美子、もういい加減にしろ。次の仕事にかかるぞ」

安永は、窓に顔をつっこんでどなってから、

「じゃあ先生。おれたちは、ちょっとひと仕事してくるから、待っててくんねえかな」

と窓を手でたたいた。西脇がうなずいた。

「あっ、さっきの奴《やつ》が帰ってきた」

俊郎が言った。男の年齢は英治の父親くらいだが、紺色のあせたポロシャツを着て、まるで元気のない足取りだ。

「あれが誘拐《ゆうかい》犯人か？」

安永は、信じられないという顔をした。

「あれしかいないよ」

久美子も、なんとなく気の抜けた声を出した。

「行こうぜ」

安永を先頭にして、俊郎、タロー、英治、久美子とつづいた。

「部屋に入るまで、タローをけしかけるなよ」

英治は、俊郎に言い聞かせた。男が後ろを振り向いた。わるい顔色だ。瘦《や》せて、背中が丸くなっている。

「あれじゃ、一発でKOだぜ」

安永は、久美子の顔を見て、にやりとわらった。男は、アパートの階段をのぼりはじめる。のぼりきるのを見定めてから、四人が駈《か》け上がった。

廊下の端《はし》に男の姿が見えた。こわれたドアーを見て、立ちすくんでいる。英治は、俊郎に向かってうなずいた。

「タロー、ゴー」

タローが走る。そのあとを四人が追う。タローは、あいたドアーから中へ飛びこむや否や、男に襲いかかって、床《ゆか》に押し倒していた。

「助けてくれ」

男が悲鳴をあげた。誘拐犯人が助けてくれというのはおかしい。英治は、安永と顔を見合わせて、思わず笑ってしまった。

「もっとやらせるの？　死んじゃうかもよ」

俊郎が英治の顔を見た。

「やめさせろよ」

「タロー、ストップ」

俊郎が言うと、タローはぴたりと攻撃をやめた。

「君たちは、いったいだれだ？」

男は、タローを横目で見ながら言った。

「あんたを捜して、ここまでやってきたのさ。苦労したよ」

久美子は、男の目の前にカミソリの刃をちらつかせた。

「もう、おれたちが何しにやってきたかわかっただろう」

安永がポケットからおもちゃのピストルを出した。

「君たち、乱暴なまねはやめたまえ」

男の目が恐怖でひきつっているように見える。

「ふざけちゃいけないよ。乱暴したのはそっちじゃねえか？」

「あんた、よくもあっしのダチをかわいがってくれたね」

久美子が、カミソリの刃で男の顔をなぜた。赤い糸のような線がみるみる太くなってゆく。

男はそれを手でなぜてから、

「たのむ。殺すのだけはやめてくれ」

と手を合わせた。

「おっさん、子どもを誘拐するなんて、やり方が汚《きた》ねえぜ、オトシマエだけはつけさせてもらうからな」

「何をするんだ？」

この男、誘拐犯人のくせに、まるでだらしない。

「久美子、ケリを入れてやれ」

「あっしのケリは、ちょっとばかり効《き》くよ。おっさん立ちなよ」

男がのろのろと立ち上がったとたん、久美子の長い足が男の股間《こかん》に飛んだ。男はウッとうめき声を出して股間を押さえ、そのまま、ずるずると座りこんでしまった。

「男ってもろいね。女じゃこうはいかないよ」

久美子は、軽蔑《けいべつ》したように男を見おろした。

「こんどはおれの番だ。立ちな」

「勘弁してくれ」

男は手を合わせた。

「菊地、こいつを立たせろ」

英治は、男のうしろにまわると、脇《わき》の下に手を入れて男を立たせた。やけに軽い。安永が男のボディーにパンチを入れた。一発、二発。急に男のからだが重くなった。手を離すと、畳にくずおれてしまった。

「さあ、行こうぜ」

「どこへ？　警察か？」

男の声がふるえている。

「ポリ公にはわたさねえ」

「じゃ、どこへ行くんだ？」

「地獄さ」

安永は暗い声で言った。

「すまない。おれがわるかった。このとおりだ」

男は、頭を畳にすりつけた。

「とにかくきなよ。でないと、ここで死んでもらうことになるぜ」

安永は、ピストルを男の鼻先につきつけた。男は、腹を押さえてよろよろと立ち上がった。

英治は、なんだか男がかわいそうになった。

——こんな悪い奴になぜだろう。

自分でもわからなかった。

5

誘拐犯人からの電話は、十一時ちょうどにかかってきた。

「正午。N橋の近くにある喫茶店『ソレイユ』に、千七百万円持ってこい。父親か母親のどちらか一人だ」

電話はそれだけで切れてしまったので、逆探知することはできなかった。

喫茶店に来いというのは、おそらくそこに電話がかかってきて、別の場所を指示するということにちがいない。

N橋の近くというのは、川を利用して身代金《みのしろきん》を奪うということも考えられる。

母親の奈津子は、テレビだったか実際の事件だったか忘れたが、身代金を高速道路から下の一般道路に投げるというケースがあったことを思い出した。

それに対して杉崎警部は、

「N橋の近くというと、すぐ荒川を連想しますが、隅田川のO橋も、『ソレイユ』からだと、せいぜい三〇〇メートルくらいの距離です。N橋と見せかけて、O橋から投げさせるということも十分考えられます」

と言った。さすがプロである。そこまで考えていてくれるなら大丈夫だと、奈津子は安心した。ただ、父親の靖樹は、

「そんなに警察官だらけにしたら、犯人はあらわれないんじゃないですか」

と心配したが、杉崎は、犯人には絶対気づかせないから大丈夫だと胸をたたいた。

靖樹は、十一時五十五分に『ソレイユ』に着いた。そこで三十分待ったが、犯人からの接触はもちろん、電話ひとつかかってこなかったので、自宅にもどってきた。

「犯人は、きっと警官に気づいたにちがいありません。こんなことしていたら、直樹の命はどうなるんですか?」

靖樹の顔はひきつっている。それを見て奈津子も半狂乱になった。

「おねがいです。警察は手を引いてください」

「奥さん、もう少し冷静に……。犯人は、きっとまた電話してきます」

杉崎は、汗を拭き拭き奈津子をなだめた。

「直樹にもしものことがあったら、警察はどうやって責任をとるつもりですの?」

奈津子の声はひきつっている。

「それは奥さん無茶です」

「どうして無茶なんですか？　あなたはさっきから、警察にまかせろと言ってるじゃないですか」

「もちろん、警察は最善の努力はいたします。しかし、不測の事故というものもありますから……」

「その場合は責任負えないというんでしょう。そうなのよ。あなたたちって、最後はいつもそうやって逃げるんだから」

「やっぱり、警察にまかせてはまずかったんだ」

靖樹は、天井の一角をにらんだまま言った。

「お二人とも冷静に。パニックに陥っては犯人の思うつぼです。犯人はまだ身代金を受け取っていません。けっして諦《あきら》めません。必ず連絡してきます。それを待ちましょう」

杉崎は、ぐしょぐしょになったハンカチで額の汗を拭《ぬぐ》った。

男は、解放区の広場の真ん中に正座させられ、そのまわりに、子どもたちが輪をつくっている。

「顔をあげなよ」

安永は、手にしたモップの柄で男の顎《あご》を持ちあげた。男は、顔をあげて空を見た。太陽が真上にあるので、まぶしそうに目を閉じた。

「名前を言ってもらおうか」

「田中康弘《たなかやすひろ》といいます」

男は、ぼそぼそとつぶやいた。

「なんだか、総理大臣みたいな名前だな」

だれかが言った。英治はとたんに吹き出したくなったが、ここで笑っては台無しだと思って、息を止めて笑いをこらえた。

「申しわけありません」

「年はいくつだ?」

「四十二の厄年です」

「妻か子どもはいるのか?」

安永は、テレビで見た刑事みたいにかっこうつけている。

「いましたが逃げられました」

「いじめたんだろう?」

「ちがいます。私がサラ金から借金したからです」

サラ金という言葉は、英治もテレビや新聞でよく見かける。サラ金で一家心中、強盗……。

「いくら借りたんだ?」

「千五百万円です」

「その借金を返すために、柿沼を誘拐したのか?」

「はい」

「柿沼に狙《ねら》いをつけたのはなぜだ?」

「家に入るところを見たのです。医者の息子なら金があるだろうと思って、終業式の日を狙っていました」

「そこまでは上出来だったよ」

柿沼が言った。

「すみません。勘弁してください」

男は、コンクリートに両手をついた。

「わるいことをしておいて、すみませんですむなら、警察はいらねえよ」

「そのとおりです。覚悟はできています」

「覚悟ってなんだ? ここで死んで見せるっていうのか?」

こんなところで死なれてはかなわない。英治は、顔から血の気が引いていくのがわかった。

「いいえ。警察につれて行ってください」

「おい、みんなどうする?」

安永は、みんなの顔を見まわした。

「柿沼に聞こうぜ。どのくらいひどい目にあわされたのか。決めるのはそのあとだ」

相原が言うと、みんながそれに賛成した。

「このおっさん、自分は食わずに、おれにだけはパンと牛乳をくれたんだ」

「ほんとか？」

「はい。もう三日間何も食べていません」

そうか……。それであんなに弱かったのだ。

「だれか、食うもの持ってきてやれよ」

相原が言い終るのを待たず、宇野が走り出したと思うと、缶入りの牛乳と乾パン、それにチーズを持ってきて、男の前に置いた。

「食いなよ」

相原が言うと、男は、もどかしそうに牛乳の缶をあけ、音をたててひと息に飲み干した。

「そんなに金がないのか？」

「これだけです」

男は、ポケットから十円硬貨を五枚取り出して、コンクリートの上に置いた。

「これは、電話代としてとっておいたのです」

「どうして、サラ金からそんなに借りたんだ？」

「私はサラリーマンだったんですが、友だちがサラ金から金を借りまして、その保証人になったんです。ところが、そいつが逃げちまいまして、私が払わなけりゃならないことになりました」

男はチーズを口に入れた。

「といっても、私も安サラリーマン。その金を返すために、別のサラ金から金を借りました。それが、いつの間にか雪だるまみたいにふくれあがって、とうとう千五百万円になっちまったんです」

「そうかあ。友だちのためにしてやったのかあ」

みんな、しゅんとなって顔を見合わせた。

「柿沼、このおっさんどうする？　ポリ公にわたすの、ちょっとかわいそうと思わねえか？」

相原が柿沼の顔を見て言った。

「逃がしてやってもいいよ。話を聞いたら、なんだかかわいそうになってきたぜ」

「おれもだ」

安永が気の抜けたような声で言った。つづいてみんなが口ぐちに逃がしてやろうやと言った。

「おっさん、逃がしてやるから、どこでも好きなところへ行っていいぜ。ポリ公にはおっさんのことはチクらねえから安心しなよ」

「ありがとうございます。ですが私は、逃がしていただいても行くところがありません。それに、またサラ金から追いかけられるくらいなら、刑務所にいた方がましです。どうぞ警察に突き出してください。もし突き出してくださらないんなら、私は自首します」

意外な言葉に、みんな唖然《あぜん》として男の顔を見つめた。

「刑務所の方がいいなんて、あんたも苦労したもんだね」

瀬川が言った。

「はい」

男は、はなをすすりあげた。

「みんな、ちょっと聞いてくんないか」

柿沼が突然言った。

「さっき相原が言ったところによると、おれんちのおやじは、千七百万円持って、ソレイユへ出かけたんだろう？」

「うん。ところが犯人から連絡がないんで、いまは家へ帰って、つぎの連絡を待ってるらしい」

「そこで考えたんだけど」

柿沼は、深く息を吸いこんだ。

「おれんちなんかさ、セックスの後始末しちゃ金を儲《もう》けてるんだ」

「後始末ってなんだ？」

英治が聞いた。

「セックスすりゃ子どもができるだろう。できたら困るから、子どもをおろすじゃんか」

「そういうことか」

子どもをおろすってのは、人殺しではないのかな……。英治はそう思った。

「そうやって儲けた金を、おやじは何につかってると思う？」

「なんだよ」

「女さ。彼女がいるんだよ。そいつをマンションに住まわせて、ジャブジャブ金やってんだ」

「おとなってのは、みんなそんなもんさ」

安永がしたり顔で言う。

「だから、おやじはおれを取りもどすために、千七百万円つかうくらいメじゃねえんだ」

「お前の言いたいことわかった」

相原が言った。

「あの千七百万円は、おれたちで奪《と》っちまえばいいんだよ」

英治は、思わず柿沼の顔に見とれた。

「その金をどうするんだ？」

「このおっさんにやるのさ」

一瞬、沈黙があたりを支配した。やがて、男がすすりあげる声がした。

「あなたは、なんということをおっしゃるんですか。あなたの言葉は、まるで神の言葉です。その言葉だけでけっこうです。ありがとう。私はこれで、さっぱりした気持ちで警察へ自首できます」

男はとうとう、声をあげて泣き出した。

「まいったなあ」

柿沼は、照れくさそうに頭をかいた。

「おっさん誤解してもらっちゃ困るな。おれは、おやじに復讐《ふくしゅう》してやりたいだけなんだよ」

「よし、やろうぜ。身代金はこっちがいただきだ」

安永は、もう千七百万円を手にしたような顔をしている。

「問題は方法だな。おっさんは、どうやって手に入れるつもりだったんだ?」

相原は、田中に聞いた。

「私は、『ソレイユ』に電話して、こういうつもりでした。夜になったら、警察には金の入っているかばんだと言って、空《から》のかばんを荒川のN橋から川へ落とす。そうやって、警察の目をくらましておいてから、往診だと言って、私のアパートへ金を持ってこさせる。私は入口で身代金を受け取り、直樹君は解放する」

「それじゃ、ポリ公に捕《つか》まえてくれって言うようなもんだ」

「だめですか？」

「やったら、きっと捕まってたね」

「だけど、空のかばんを川に落とすってアイディアはつかえるぜ」

中尾が言った。

「みなさんがそんなことをしたら罪になります。私のことは、考えてくださらなくても、なんとかやりますから。どうか、そういう危ないことはやめてください」

田中は、相原にすがりつくように言った。

「おれたちはそんなドジはやらねえから、まあ黙って見てなよ」

「私は、どうしたらいいんでしょうか？」

田中は瀬川に聞いた。瀬川は、

「やりたいようにやらせるさ。みんな楽しそうな顔してるじゃねえか」

と言ってから、ぼそぼそとつぶやいた。

「しかし、子どもってのは不思議な生きものだねぇ」

五日　迎撃

1

柿沼靖樹は、スタミナをつけることに異常とも思える努力をつづけている。そのためには、医者として考えられる、あらゆる方法を実行している。

早寝早起き、荒川河川敷《かせんじき》のジョギングもその一つである。直樹が誘拐《ゆうかい》されてからは、さすがにそれどころではなく、睡眠薬で眠る始末だったが、それでも目だけは朝早くから覚《さ》めてしまう。

その朝も、六時に起床して、郵便受けに新聞をとりに行った。新聞の束をかかえてもどろうとしたとき、郵便受けの底に茶封筒があることに気づいた。

こんなに朝早くから郵便がくるはずはない。靖樹は封筒を取り上げた。切手は貼《は》ってなく、ただ柿沼靖樹様とだけあった。裏をかえしてみると、柿沼直樹とある。まちがいない直樹の字だ。

靖樹は、夢中で封筒を破いた。中からカセットテープが出てきた。ほかには何もない。それを持って、ころげこむようにして寝室にもどった。

「奈津子、奈津子。起きなさい」

靖樹は、まだ眠っている妻を乱暴に揺さぶった。

「直樹からだよ」

直樹と言ったとたん、奈津子はぱっと目を見開いて、ベッドから起き上がった。靖樹はカセットをテープレコーダーにセットした。

「お父さん、お母さん、直樹です」

見る間に、奈津子の顔がくしゃくしゃに崩れた。

「直樹。生きてたのね、生きてたのね」

「黙って聞きなさい」

「ぼくは、いまのところ無事です。けれど、こんど身代金が受け取れなかったら、ぼくをバラバラにして、荒川に流すとおじさんはとても怒っています」

奈津子は両手で顔を蔽《おお》った。

「きのう、おじさんがなぜソレイユに連絡しなかったかというと、まわりが警官でいっぱいだったからです。あれではとてもだめです。どうしてあんなことしたのですか？

では、これから身代金をわたす方法を言いますから、こんどは失敗しないでください。

十一時になったら、往診に行くと言って家を出るのです。そのとき、きっと警察が尾行をつけるでしょうが、それはかまいません。

まず、銀座《ぎんざ》のM百貨店に行きます。そこの一階にかばん売場がありますから、M社製のアタッシェケースを買ってください。色は黒で、値段は一万円です。それに、千七百万円を入れ、つぎに築地《つきじ》のTホテルに行ってください。

ホテルに到着する時刻は一時です。ロビーで待っていると、栗原《くりはら》という名前で呼び出しがありますから、電話に出てください。それからのことは、電話でおしえるそうです。お金がおじさんの手に入り次第、ぼくは解放されます。殺されることはけっしてありませんからご安心ください。

ただし、手に入らなければバラバラです。ぼくは死ぬのはいやです。どうか、うまくやってください。おねがいです。このテープ、警察には秘密です」

テープはそこで終った。

「直ちゃん大丈夫よ。きっと助けてあげるからね」

奈津子はもう涙声である。

「直樹のやつ、犯人に言わされているんだな。かわいそうに」

「警察に話すの？」

「言うもんか」

「そうよね。こんど失敗したら、直樹の命はないものね」

「千七百万円にはかえられんよ」

「警察は、ホテルまで尾行してくるかしら」

「もちろんさ」

「断わるわけにはいかないの？」

「つけてくるなと言えば、つけないと言うだろう。しかし、こっそりつけてくるさ」

「大体、警察に話したのが失敗だったわね。最初から、犯人と直接取り引きすればよかったのよ」

奈津子は、口惜《くや》しそうに身をよじった。

「向こうは、警察の尾行は計算ずみのようだから、なんとかうまくやってくれるだろう」

「犯人がうまくやってくれるなんて、おかしな話。でも、この犯人、頭はよさそうね」

「大学出のインテリというところかな」

「千七百万円で直樹の命が助かれば、言うことないじゃない？」

「うむ。しかしこの金額には、何か意味がありそうだな」

靖樹は、しきりに首をひねった。

「もしかしたら、うちで手術を失敗した人が、恨みでやったんじゃないかしら」

「それも考えているんだが、多過ぎてちょっと見当もつかん」

「とにかく、この犯人は良心的よ」

「良心的な誘拐犯人なんているかな」

靖樹の表情は、依然として、霧がかかったみたいにはっきりしなかった。

「こちらナンバー33。ナンバー6は元気ですか？　どうぞ」

純子の声だ。相原は、トランシーバーを柿沼にわたした。

「こちらナンバー6。きのうはどうもありがとう。元気だよーん」

「どういたしまして」

純子は、柄《がら》にもない言い方をした。お礼を言われて、照れているにちがいない。

「テープ、どうだった？」

「私、行って見てたんだけど、六時に、柿沼君のパパが自分で新聞を取りにやってきて、たしかに、テープを持ってったわよ。もう聞き終ったでしょう」

「よし、うまくいったぞ」

「ほんとに、奪《と》っちゃうつもり？」

「そうさ。十一時に家を出たら連絡してくれよ」

「つけなくていいの？」

「ポリ公がつけるから、放っといた方がいい」

「ヤバイじゃん」

「わざとポリ公につけさすのさ」

「どうして？」

「ポリ公が見ている前で、千七百万円をいただいちゃうのさ」

「そんなことできるの？」

「できるさ。それをみんなで考えたんだ」

「うまくいくかな？」

「いくさ。そっちはいいとして、校長は十時にくるんだろうな」

「私たちが帰ってきたんだから、ほんとはそこへ行く必要はなくなったんだけど、やっぱり、どんな具合いか見たいらしいよ」

「こっちも、ぜひきてもらいたいんだ。いま歓迎の幕をつくってるところさ」

「迷路、完成したの？」

「したさ。校長が中に入ったら、おれたちは上から見物さ。出てきたときはどんなかっこうになるか……。おもしろいぜ」

「つまんない。私たちにも見せてぇ」

「それは無理な相談だな。じゃ、バイバイ」

相原は、冷たく突き放してトランシーバーを切った。

非常階段まで出ると、広場にテントの切れはしをひろげて、それに秋元が、工場にあった使

い古しの赤ペンキで、

〝解放区へようこそ〟

と書いているところだった。秋元は勉強の方はからきしだが、将来グラフィックデザイナーになるのだと言っているくらいだから、こういうでかい字を書かせるとすばらしい。英治は思わず、

「うまいなあ」と言ってしまった。

広場までおりると、見張り台の日比野が、

「女が三人こっちにやってくるぞ。あれはセン公じゃない。だれかのおふくろだぞ」

と言った。

「だれのおふくろだ？　早く言えよ」

「肥ったのは宇野のおふくろだ。眼鏡をかけてるのは吉村だな。もう一人は……。あ、おれのおふくろだ」

みんなが笑った。

「宇野と吉村、見張り台に上がれ」

相原は、言いながら自分も見張り台に上がった。

「ぼくちゃん元気？」

宇野の母親千佳子が言った。

「元気さ。見ればわかるだろう」

「もう五日目よ。うちに帰りたくならない？」

「ならないね」

「そこで、なに食べてるの？」

「いろいろさ」

「変なもの食べてるんでしょう？　おなかこわさない？」

「こわさないよ」

宇野は、いかにも面倒くさそうに答えている。

「ママ心配だわ。ぼくちゃんがいなくなってから、全然食欲がないの」

「それにしちゃ、全然痩《や》せないじゃんか」

みんなが笑った。

「ひどいこと言うわね。私たちをそこに入れてくれないかしら。そうしたら、みんなの好きなものをつくってあげるわよ」

好きなものと聞いたとたん、英治は無意識につばを呑《の》みこんでしまった。そういえば、ステーキなんてわるくないな。

「おれたちは、遊びでやってるんじゃないんだぜ」

宇野は、ずいぶんかっこういいことを言う。

「朗《あきら》君、勉強はやってる？」

日比野の母親邦江が言った。

「勉強なんてやれるわけねえだろう。参考書もないんだし」

「そう思って参考書持ってきたのよ。ほら、あげるから手を伸ばしなさい」

邦江は、本を数冊手に持って高く差し上げた。

「ここをどこだと思ってんの？　解放区だぜ」

「だから、どうしたっていうの？」

「解放区ってのはね、勉強からも解放されるところさ」

「勉強から解放されるって、あなた中学生よ。中学生から勉強を取ったら何が残るの？」

邦江の声が、ヒステリックにふるえた。

「何が残るって、ちゃんと手も足も顔も残ってるじゃんか。どこがちがってるっていうの？　言ってみなよ」

「中味よ。もうあなたはむかしの朗じゃない」

「そりゃそうさ。おれはもう、いい点数とって、いい子、いい子されて喜ぶような人間から変身したんだ」

「それ、どういうこと？　あなた、もう勉強はしないっていうの？」

「すぐ、そうかっかする。おれはもう、ママのリモコンはごめんだって言ってるのさ。では、おれはこれで終り。つぎは吉村の番」

「賢《けん》ちゃん、お父さんがとっても困ってらっしゃるわ。あなたにもわかるでしょう?」

吉村の家は、両親とも教師である。母親美也子の話し方が、どうしても先生くささが抜けないのは、しかたないのかもしれない。

「自分が中学の先生だからっていうんだろう?」

「そうよ」

「だって、学校はちがうんだし、関係ないじゃんか」

「そうはいかないわよ。自分の子どもがこんなふうになっちゃったんじゃ、もう他人様《ひとさま》の子どもは教えられないって悩んでらっしゃるわ」

「こんなふうになっちゃったって……。おれたちは、何もわるいことしてるんじゃないんだぜ。わるいのはおとなの方じゃんか」

「子どもというものはね……」

「お説教はもうたくさん。それより、おやじは悩んでるんなら、どうしてここへこないんだ?」

「そりゃ、ここへはこれないわよ。体面というものもあるし……」

「たいしてえらくもねえくせに、すぐかっこうつけたがる。おやじのそういうところが嫌《きら》いなんだよ」

「賢一、あなたはいままで一度だって、そんな過激な言い方をしたことないわ。いったいどうしたっていうの？」

「ここは解放区だから、言いたいことを言っただけさ。第一、ここへこなかったら、地獄の特訓に行かされるとこだったじゃねえか」

「あなたがそんなにいやだったら、それはしなくてもいいわ」

「あったりまえさ」

「おねがいだから、そんな乱暴な言葉つかうのよして。ママ気が狂いそうよ」

「気はもうとっくに狂ってるじゃんか」

「あなた、なんてこと言うの？」

「いいかい、おれはもともと開成なんかへ行ける頭じゃねえんだ。それを自分たちの見栄《みえ》から行かそうとして、小さいときから尻《けつ》ばかり引っぱたいてたじゃねえか。その挙句《あげく》、おれが落っこちりゃ、『あんただめねえ』だ」

「ごめんなさい。それは反省してるわ」

「反省してるなら差し入れ持ってきたか？」

「なにが差し入れよ。そんなことしてると警察がくるわよ」

「きたけりゃどうぞ。歓迎してやるぜ」

「話にならないわ」

美也子は天を仰いだ。

「これは病気だわ。ええきっとそうよ。お医者さまを呼んだ方がいいんじゃないかしら」

千佳子が言った。

「私たちでは、どうにもならないわよ。帰りましょう」

邦江は、二人をうながして帰って行った。

「書き終ったぞ」

それまで、一人だけ横断幕の字を書いていた秋元が立ち上がった。

「うまいもんだなあ」

相原が、見張り台の上から感心したように言った。

「〝解放区へようこそ〟」

英治は、右手を前に差し出してお辞儀した。これは、いつだったか芝居で見たポーズである。

そのとたん、みんながわっと幕にとびつき、それをかついで「わっしょい、わっしょい」とまわり出した。

右にまわったかと思うと左にまわり、めちゃくちゃに早くなったり、おそくなったり、突然、何ものかにとり憑《つ》かれたみたいに、子どもたちは、その行為に夢中になった。

真夏の強い日差しが、地面に乱舞する影をくっきりと映し出した。笑い、さんざめく声は広場に満ち、青く高い空に吸いこまれてゆく。

この瞬間、子どもたちはすべてから解放されていた。

2

午前九時。

校長の榎本の家には、教頭の丹羽、生活指導主任の野沢、担任の八代、それと体育の酒井の四人が集まっていた。

「やはり、どうしても行かれますか?」

「行く」

榎本は丹羽を見上げて、ぶっきら棒に言った。丹羽と話すときは、いつも見下ろされているような感じだ。これは、肉体の構造上の問題だから、しかたないとは思うものの、神経が苛立《いらだ》っているときは、それが無性に腹が立つのだ。

「あの連中の中に、一人で入って行かれるのは危険です」

「いいじゃないか。これで殉職するなら、教師として本望だ」

〽勝ってくるぞと勇ましく
誓って国を出たからは
手柄立てずに死なれよか
進軍ラッパ聞くたびに

まぶたに浮ぶ旗の波

榎本は、こういうとき必ず、子どものころ歌った軍歌を歌いたくなる。これを歌うと悲壮感に酔えるのだ。しかし、いまは声に出して歌うことを我慢した。

「それでは、私におともさせてください」

酒井が言った。

「いや、こんどは私が行きます」

野沢が言った。つづけて八代も、

「私も……。担任ですから」

「酒井君は標的にされておるようだから、野沢君と八代君にしよう」

榎本は丹羽の顔を見た。丹羽がうなずくと、

「奴らを子どもと思ってはいかん。狂気の過激派集団だ。二人とも、校長先生を死守してもらいたい」

「それなら、私の方が適任じゃありませんか」

と酒井が言った。

「それはわかっとるが、この際、騒ぎをあまり大きくしたくないのだ」

「酒井君、君もわかっているだろうが、うちも三年前までは、都内でも有名な非行中学だった。校内暴力、シンナー、登校拒否、不純異性交遊……。悪と名のつくもので、ないものはな

かった」

丹羽が、ちらりと見たので榎本はうなずいて見せた。

「私が赴任したのが三年前でしたが、これが学校かと思いました」

酒井が言った。

「あのひどい学校を、曲がりなりにも都内有数の模範校にしたノウハウは何かとよく聞かれるんだが、そういうときは、信念をもって厳しくしつけることだと言うことにしとるんだ」

榎本が言うと、丹羽が大きくうなずいた。

「そんなことは、教育者ならだれでもわかっとるが、実際にはうまくいかん。なぜだと思うかね？」

榎本は、八代の顔を見た。

「いいえ、わかりません」

「みんなうまくいかんのは、子どもを人間と思っとるからだ。奴らは動物と思えばいいんだ。犬や馬を調教するように、鞭《むち》で仕込めば必ずうまくゆく。これが秘伝だ。君たちもよく頭に入れておきたまえ」

「校長先生は赴任してこられてから三年間で、都内有数の模範校に変えられたのだ。これは奇跡としか言いようがない」

丹羽の奴うまいことを言う。榎本は軽くうなずいてから、

「そのかわり、管理教育だといって、マスコミや左翼の教育学者にぶっ叩かれたもんだ」

「管理教育のどこがわるいんですか。鉄は熱いうちに叩けです」

酒井が言った。

「大体、親も勝手ですよ。家庭のしつけなんてものは皆無。まるで狼《おおかみ》少年みたいなガキを学校に送りこんでおいて、まともにならなきゃ教師の責任とくるんですからね。そのくせ、厳しくやれば管理教育。じゃあ、どうしろと言うんですか?」

野沢はテーブルをたたいた。コーヒーがもう少しでこぼれるところだった。

「君の言うとおりだ。だから教師たる者は、雑音に惑わされない情熱と信念が必要なのだ。ところが、信念をもって行動しようとすると、必ずリアクションがある。こんどのことも、それが原因ではないかと思っとるんだ」

「さすが校長先生、達見です。いいですか、先生方」

丹羽は三人の顔を見わたした。

「そうであればあるほど、われわれは、この輝かしき校長先生の経歴を、汚《けが》してはならんと思うのです。それだけは、どんなことをしても防ごうじゃありませんか」

「それはわかっています。ですから私は、先日ああいう行動に出たのですが、それがかえって裏目に出て、マスコミの笑いものになりました。申しわけありません」

酒井は、興奮すると太い腕を振りまわすので、危なくてかなわない。

「君の気持ちはよくわかっている。あれは不運な出来事だった」

「不運なではすまされません。私は自分が納得いくように、奴らに必ずオトシマエをつけてやるつもりです」

「酒井君、教師はヤクザじゃないんだ。言葉をつつしみたまえ」

榎本は、口とは裏腹に、酒井を鉄砲玉にして、何かできないかと考えていた。この男はよく言えば、直情径行。わるく言えば単細胞だ。おだてりゃ、豚でも木に登るというが、この男なら、なんでもやるにちがいない。

「子どもというものは、きびしい管理があって、はじめて正常に育つものだと思います。ただし、これは教師と父兄との両方が協力し合わなくては不可能です。この三年間は、それがうまくいきました。だから生徒も正常だったのです」

野沢も、生活指導主任として、実によく働いた。

「ところが、ことしの一年生は、親の方がいままでとはちがうという気がしてならないのです」

「それは言えますね」

八代が野沢に同調した。

「それはなぜかね？」

榎本には初耳だった。

「全共闘世代の子どもたちが、ことしから中学へ入りはじめたのです。解放区などという言葉は、親の影響抜きでは考えられません」

「実際、あの生徒たちの親にいるのかね?」

「おります。父親の方はまだ一人ですが、母親は大学卒が十人で、そのすべてがそうです」

八代が言った。

「しかし全共闘世代といったって、わが子に、自分たちと同じ道を歩ませたい、と考えている親はいないだろう。まして母親だったら、エリートの道を選ばせたいと考えるのが常識じゃないのか」

丹羽が言った。

「大半の親はたしかに、教頭先生のおっしゃられるように考えるのが普通だと思います。しかし、その中に一人でも煽動者《せんどう》がいれば、子どもたちはそれに乗せられるでしょう。なんといっても、管理に対して解放は、あまい蜜《みつ》みたいなものですから」

「野沢君の意見はおもしろい。もし、こんどのことが、子どもたちの叛乱《はんらん》の萌芽《ほうが》だとしたら、これは単なる教育問題というより、由々《ゆゆ》しき社会問題だ」

「そうです。こんどのことは、そういうふうに捉《とら》えるべきだと思います」

野沢にくらべ、理論構成のできない酒井は、そうなんだというように、何度も大きくうなずいた。

「では、われわれの取るべき道は？」

榎本は、四人の顔を順に見た。

「もちろん、なんの痕跡《こんせき》も残さぬまでに、徹底的に抹殺《まっさつ》してしまうことです。これはガン細胞と同じです。増殖したら手がつけられなくなって、国を滅ぼすことになります。幸い、いまなら、切除すればまだ間に合います」

野沢の言い方はかなりオーバーだが、これは教育委員会で、校長の責任を追及されたとき、つかえる手だと榎本は思った。

「とにかく、私ら三人は解放区へ出かけて、子どもたちの出方を見よう。まさか、むかしの全共闘みたいに、軟禁するということもなかろう」

榎本は、胸の底にくすぶっている不安を、かき消すように大声で言った。

3

榎本、丹羽、野沢、八代、酒井の五人は、酒井の運転する車で解放区へ向かった。

着いたのは約束の午前十時きっかりで、榎本、野沢、八代の三人が車から出ると、正門の前に集まっていた子どもたちが、いっせいに拍手した。

「君たちは、こんなところで何してるんだ？」

野沢は、堀場久美子をつかまえて聞いた。

迷 路

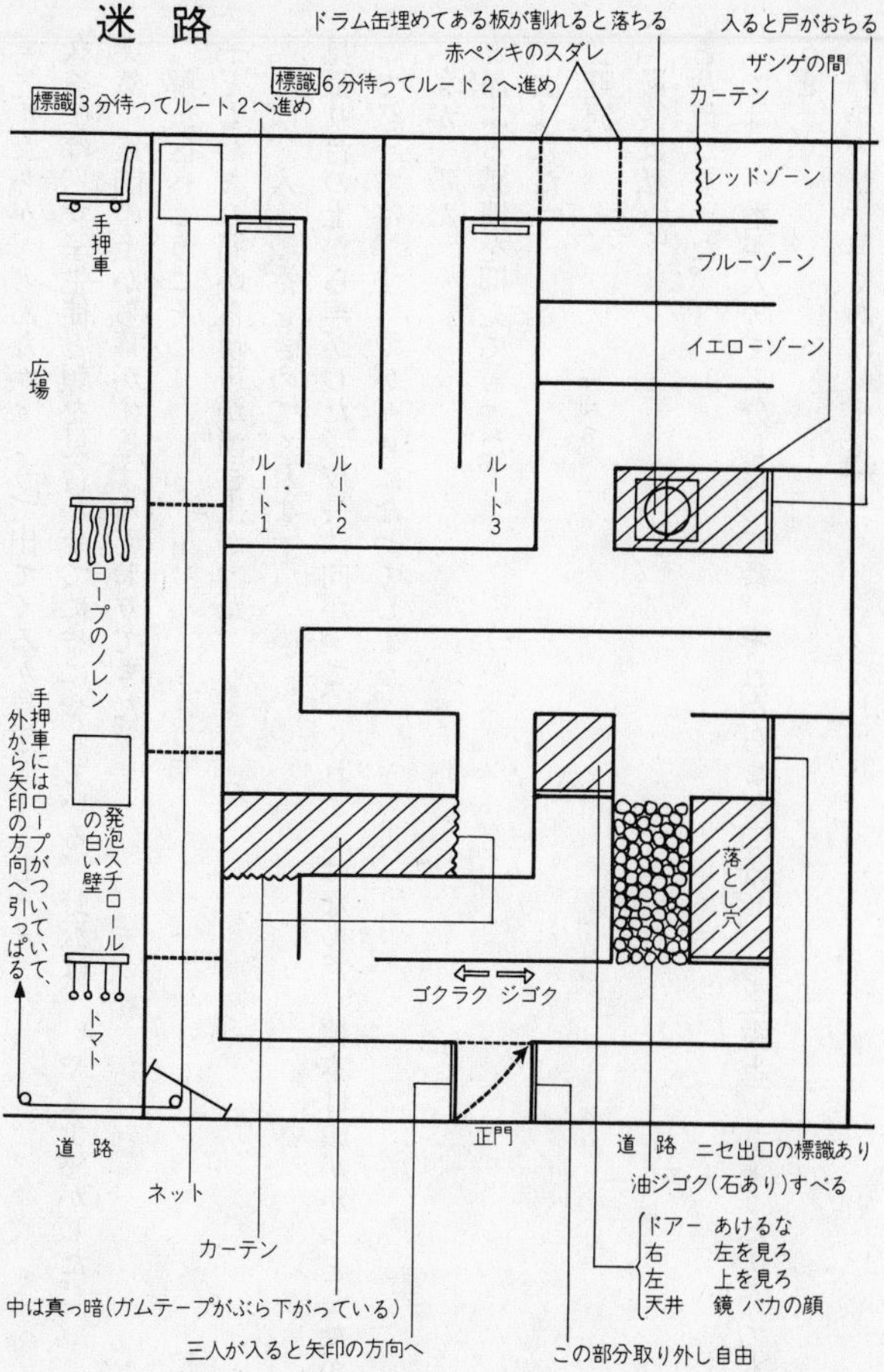
ドラム缶埋めてある板が割れると落ちる
入ると戸がおちる
赤ペンキのスダレ
ザンゲの間
標識 6分待ってルート2へ進め
標識 3分待ってルート2へ進め
カーテン
レッドゾーン
ブルーゾーン
イエローゾーン
手押車
広場
ルート1
ルート2
ルート3
ロープのノレン
手押車にはロープがついていて、外から矢印の方向へ引っぱる
発泡スチロールの白い壁
落とし穴
トマト
ゴクラク ジゴク
道 路
正門
道 路
ニセ出口の標識あり
油ジゴク(石あり)すべる
ネット
ドアー あけるな
右 左を見ろ
左 上を見ろ
天井 鏡 バカの顔
カーテン
中は真っ暗(ガムテープがぶら下がっている)
三人が入ると矢印の方向へ
この部分取り外し自由

「先生たちが、どんなかっこうで出てくるか見学してるじゃん」

久美子は、女子生徒と顔を見合わせてにやにやしている。野沢は、いやな予感がした。

突然、正門の上から幕がするするとおりてきた。

〝解放区へようこそ〟

子どもたちの間から喚声が湧《わ》き上がった。

「では、入る順番をきめてくれよ」

見張り台の上から声がした。校長に向かって、くれよとはなんだ。榎本は頭がかっとしたが、ここで怒っては、すべてがゼロになってしまう。

「私が一番だ」

と昂《たか》ぶる感情を抑えて言った。

「次は私だ」

と野沢。

「最後は私だ」

と八代が言った。

「では、一番が入って二分したら二番。それからまた二分したら三番というふうに入ってもらうぜ」

「わかった。早くあけたまえ」

榎本が言ったとたん、通用門がゆっくりと中へ開いた。内部は薄暗い壁が見えるが、ためらわずに中へ入る。後ろで通用門の閉まる音がした。

人がやっと通れるくらいの通路で、両側の壁はトタンである。上は吹き抜けで青空が見える。

――迷路だな。

子どもたちのやりそうなことだ。突き当りの壁に標識が出ている。

右　ジゴク

左　ゴクラク

迷わず右に進む。道は行き止まりになっていて、左に曲がる道と、その隣に思わせぶりなドアーがある。

ふと、人の気配を感じて上を見上げた。下をのぞいている子どもたちの顔が見えた。このドアーには、きっと仕掛けがしてあるにちがいない。

榎本は、左に曲がる道を選んだ。壁に、〝この先恐怖のオイル・ストリート〟と書いてある。

たしかに、少し進むと拳大《こぶし》の石がごろごろ転がっている。しかもそれが油まみれになっているので、足を乗せるたびにすべる。

榎本は、数歩進んだと思ったら、すべってしたたかに尾骶骨《びていこつ》を打ちつけた。思わず、うめき声が出た。

頭の上から、子どもたちの笑い声が聞こえた。

「君たちは、私をどうするつもりなんだ？」

「早く出てきてくれよ。おれたちは待ってるんだぜ」

榎本は、石の上を四つ這《ば》いで進むことにした。こうなったら、ズボンの汚《よご》れを気にしてはいられない。

石がなくなると、右に曲がる道があった。その先に出口とある。これでやっと出られたのだ。ドアーを押すと向こう側は通路である。

また、頭の上で笑い声がした。

ここで怒ってはならない。冷静にだ。榎本は通路をもときた方へもどった。しばらく行って右に曲がると、野沢が見えた。

「君は、どうしたんだ？」

「いま入ってきたところです。校長先生こそどうなさったんですか？」

野沢は、榎本のズボンに目をやりながら言った。

「やられたよ。君も気をつけたまえ。ジゴクと書いてあった方へ行ったらこの始末だ」

二人は、左へ進む。すぐ道は二つに分かれている。

「私はこっちへ行く」

榎本は手前の道を右折する。少し行くと、こんどは左に曲がっている。正面にドアーがあって、〝あけるな〟と書いてある。

どうしようかと思ったが、行き止まりなのであけないわけにはいかない。おそるおそるドアーをあけると、目の前に〝右を見ろ〟と書いてある。右に目をやると〝左を見ろ〟とある。

榎本は、書いてあるとおり、右から左に視線を向けた。すると〝上を見ろ〟とある。反射的に上を見た。そこには鏡がはってあって、榎本の顔が写っている。そして白ペンキで、〝バカの顔〟と書いてある。

榎本は、舌打ちしながらもとの道をもどった。こうなったら、野沢のあとを行くしかない。

真っ直ぐ進むとカーテンがあった。あけると中は真っ暗である。榎本は、中へ入ってから、しばらくじっとしていた。

何も起こらない。

一歩ずつ、慎重に前へ進む。突然、右の頰《ほお》に変なものがはりついた。

──ガムテープだ。

榎本はむしりとった。頰がひりひりする。こんどは頭にはりついた。これはガムテープよりもっと大きいものだ。無理してはがしたら、残り少ない毛が抜けてしまいそうだ。

そのままにして、手さぐりで前へ進む。ガムテープがノレンみたいにぶら下がっていて、歩くたびに、顔といわず肩といわず、べたべたとはりつく。

やっと、カーテンに突きあたって外へ出る。明るさで目が眩《くら》みそうだ。

そこに野沢がいて、顔から腕にかけて、はりついたガムテープを、丹念にはがしていた。

「校長先生」

野沢が言ったとたん、頭の上で子どもたちの笑い声が聞こえてきた。

「このクソガキ！」

野沢は、声に向かってどなった。

そこを出て右に進む。不思議に何ごともおこらない。と思ったとき、頭からびしょ濡《ぬ》れの八代に出会った。

「君は、どの道をきたんだ？」

野沢が聞いた。

「私は、ジゴクと書いた方に行きました。すると、突き当った左にドアーがありました。あけて入ったら落とし穴で、下は水溜《みずたま》りでした。まったく、ひどいもんです」

いつもおしゃれな八代だが、こうなると見られたものではない。榎本は、自分のことは忘れておかしくなった。

「とにかく進もう。これしきのことでへこたれては、奴らになめられる」

榎本は先頭に立つと、道が二つに分かれるところで、

「私はこちらに行く」

と奥へ進んだ。道は左に曲がっている。奥は行き止まりになっているのだが、正面に貼《は》り紙がしてある。何が書いてあるのか、興味があったので奥へ進んだ。とたんに、うしろで大きい

音がした。ふりかえってみると、入口に板が落ちて閉じこめられてしまった。もどって押してみたがびくともしない。

榎本はしかたなく貼り紙の文字を読んだ。

ここは　ざんげのへやです

神の声に正直に答え

わるかったとざんげすれば　出ることができます

もし反省しなければ永久にここから出ることはできません

神の声とはいったいなんのことだ。あたりを見まわすと、ボール紙でつくった、メガフォンみたいなものが、壁の上部に取りつけてあった。

「私は神だ」

メガフォンから、くぐもった声が聞こえた。

「ふざけるんじゃない。そんな神さまがあるか」

榎本は、吹き出したいのと、腹立たしいのがミックスした。とたんに、頭の上から、水がざっと落ちてきた。

「お前は、セン公たちを校門にならべ、生徒の服装点検をさせて、スカートの丈を物差しではかり、靴下に模様があると言ってはなぐらせる。もう二学期からしませんと言うか？」

「言わん。服装はすべての基本だ。服装が乱れれば心も乱れて非行になるのだ」

また、頭の上から水が落ちてきた。

「朝うんこしてこいというのはどうだ？　そんなにうまくいかないときだってあるぜ。そう言ったら、お前はその生徒を校長室に引っ張りこんで、なぐったじゃないか」

「朝うんこするというのは、そういう習慣をつけると、からだが健康になって気持ちいい。だれのためでもない。君たちのためだ」

「おれたちはセン公に、うんこの面倒まで見てもらいたかねえよ」

榎本が口を開こうとしたとき、また水である。すでに、からだの芯《しん》までぐしょ濡れであった。

「お前は、学校の廊下は右側を静かに歩け。曲がり角では一時停止して、左右を見てから直角に曲がれという。ガキじゃあるまいし、こんなばかばかしいことはすぐやめさせろ。廊下は、おれたちの解放区なんだ」

「廊下を正しく歩くことが、道路を正しく歩くことにつながるんだ。私は、君たちのことを考えてやっていることを、もう少しわかってもらいたい」

「なんでもお前たちのためか……。それでは、お前は以上のことをまったく反省しないというのだな」

「私は信念を持ってやっているんだ」

言ったとたん、立っていた床《ゆか》が二つに割れて下へ落ちた。乗っていた板にひもがついていて、両側から引っ張ったのだ。そこにはドラム缶が埋まっており、上から落ちた水が膝《ひざ》まで溜っていた。

「お前は救いがたい男だから、コンクリート詰めにして荒川に捨ててしまうことにする」

にやにやと笑いながら見下ろしている子どもたちの顔を見上げたとたん、榎本は、突然恐怖をおぼえた。この連中なら、そのくらいのことなら、平気でやりかねないという気がしてきた。

「ちょっと待ってくれ。私には妻も子どももいる。殺すのはひどいじゃないか」

「では、ざんげしますと言うんだな」

こんなところで、筋を通そうとする必要はない。とにかく、なんとかごまかしてここを出ることだ。

「私がわるかった。これから気をつける」

「神さまに対して、そういう言い方はないだろう。もっと心から言え」

「私がわるうございました。これから生徒たちのことを考えますから、どうか、ここから出してください」

言い終ると、入口の板がするすると上に上がった。やはり、子どもは単純なものだ。榎本は、ドラム缶から這《は》い上がって通路に出た。真っ直ぐ行って、左へ曲がると行き止まりだった。もどって、こんどは左へ曲がる。ここも行き止まりだ。

その先を左へ曲がり、右へ曲がると、全身を黄色く染めた八代と、青く染めた野沢が立っていた。

「道はこの先しかありません。校長先生を待っていました」

「ひどい目に遭《あ》ったよ」

自分がざんげさせられたことは言わなかった。

「君たちのその姿はどうしたんだ?」

「ブルーゾーンというところへ行ったら、この有様です。ペンキをぶっかけられました。ひどいものです」

野沢が言った。

「私はイエローゾーンへ行ったんですが、どちらも行き止まりでした。残るのはレッドゾーンですが、ここは通り抜けられるはずです」

八代を見ていると、まるで黄色い人形が口を利《き》いているような無気味さがある。

「よし、では私が先頭で行こう」

こうなったら、破れかぶれだと榎本は思った。レッドゾーンと壁に書かれた通路を進む。すこし行くと白いカーテンが下がっている。それをくぐり抜けると、前方に赤いすだれみたいなものが見えた。

「行くしかないな」

榎本は、二人の手前躊躇《ちゅうちょ》はできぬと覚悟をきめた。赤いすだれを両手でわけて、中へからだを入れた。

それは、赤いペンキを塗ったビニールひもだった。顔と手、からだがたちまち赤くなる。かまわず進む、前方にまた赤いすだれがあった。走るようにして通り抜けた。

つづいて二人がやってきた。野沢は青に赤、八代は黄色に赤。前衛芸術の彫刻でも見るような感じだ。

左に曲がって直進すると、正面の壁に1、2、3と番号が書いてある。道が三つあるということだろう。

「野沢君は1の道を行きたまえ。私は2、八代君は3だ」

榎本は、当てずっぽうに言って2の道を進む。左に曲がって少し行くと、突き当りに手押し車みたいなものがあって、〝座れ〟と書いてある。

ここまできたら、なるようにしかならない。榎本は手押し車に腰をおろした。とたんにそれは動き出した。速度は次第にあがってゆく。

前方に、太いロープのノレンが見えた。それにまともに突っこんだ。ロープが顔をひっぱたいた。目から火花が出た。

手押し車は、先端にロープがついていて、それを通路の前方から引っ張っているらしい。速度はますますあがる。目の前に白い壁が見えてきた。

――ぶつかる！

榎本は顔を伏せた。ぶつかった。意外にやわらかいショックだ。発泡スチロールだったのだ。ほっとして顔を上げたとたん、赤い玉がいくつも迫ってきた。よける間もなく顔にぶつかった。ぐしゃっ、鈍《にぶ》い音がして、一瞬、目が見えなくなった。

榎本は、そっと顔に手をやった。ぬるりとした感触。色は真っ赤だ。

――血！　やられた。

これはたいへんなことになった。何かしなければいけない。何かとは、なんだ……？　考えようとするが頭が働かない。

次の瞬間、榎本はからだごとネットにぶつかった。はねとばされて通路にころげたとき、トランポリン用のネットが置いてあったことに気づいた。

通路の向こうに出口が見えた。ようやく出ることができるのだ。榎本は、よろめきながら出口に向かった。

――出た。

目の前に人の顔があった。

「校長先生！　どうなさいました」

丹羽が顔をひきつらせた。榎本は、重傷だなと思った。すると急に意識が薄れた。倒れかかるのを酒井が受けとめた。

「しっかりしてください。傷は浅いです」

――気安めを言うな。

榎本は顔を撫《な》でた。ぬるりとしたものが口の中に入った。血とは、少し味がちがう気がした。

もう一度味わってみる。

紛《まぎ》れもないトマトの味がした。

4

「私、どうしても往診に行かなければなりません。もし犯人から電話がありましたら、ここへ電話していただけませんか」

柿沼靖樹は、十一時になるのを待って、杉崎警部にそう言うと、電話番号を書いたメモをわたした。

「こんなときに往診ですか……」

杉崎は、明らかに不満そうな顔をした。

「古くからの友人で、奥さんの具合いがよくないから診《み》にきてくれと言うんです。誘拐《ゆうかい》の事実を言うわけにいかないものですから」

古くからの友人は事実だが、奥さんの病気はでたらめである。もし警察から電話があったら、適当に答えておいてくれと、さっき頼んでおいたのだ。

「いいでしょう。何かあったら連絡します。なるべく早く帰ってきてくださいよ」

杉崎は、靖樹の言うことをまったく疑ってないみたいに見える。

千七百万円を詰めた往診かばんを手にすると表へ出た。四、五十メートルほど歩くとメインストリートに出る。ゆっくり歩いた。タクシーはすぐにやってきたので、乗り込むと「銀座」と言った。

動き出してから、ちらと後ろをふりかえって見たが、つけてくる車らしいものはない。

こんなうそに騙《だま》されるなんて、警察もずいぶん間が抜けている。これで、まかせておけとはよく言ったものだ。やはり、最後は親がやらなければだめだ。

犯人と勝手に取り引きしたことがあとでわかれば、連中はメンツをつぶされたことで怒るだろうが、それも息子の命がかかっているのだ。当然ではないか……。靖樹は、自分の行動を勝手に正当化した。

銀座でタクシーを降りると、Mデパートに入った。直樹のカセットテープでは、一階にかばん売場があるということだった。案内の女性に聞いてみると、店の一角をおしえてくれた。M社製の、一万円の黒いアタッシェケースもすぐわかった。

靖樹はそれを買うと、トイレに入って千七百万円を、往診かばんから、アタッシェケースに移しかえた。

そこから、築地のTホテルまでは距離にして五〇〇メートルほどだ。まだ約束の一時まで一時間二十分もある。ぶらぶら歩いて、昼食はホテルですることにした。

しかし、いざ食事しようとすると、さすがに何も食べる気がしなかった。コーヒーだけで時間をつぶし、約束の一時より十分前にロビーにおりて、ソファーに腰をおろした。

それとなくあたりを見まわしたが、怪しげな人物は見当らない。時計の進み方がやけにのろい。

一時。

靖樹は、あたりを見まわした。そして、それがむだな行為であることを悟った。こっちは犯人の顔を知らないのだ。一時の電話を待つしかないではないか。

栗原さんにお電話ですとボーイが言っている。最初は聞き逃したが、すぐに自分のことだと気づいた。

近くの電話機のところまで行き、受話器を耳にあてた。

「柿沼ですが……」

「そこから右の方を見てみろ。壁のところに赤電話が並んでいるだろう。そこへ行って、×××の××××へ電話しろ」

「わかりました。×××の××××ですね」

柿沼は番号をメモした。

「そうだ。コールサインが三度鳴ったら、受話器を耳にあてたままロビーの方を見ろ。すると男が手をあげる」

「はい。受話器を耳にあてたままですね？」

「そうだ。それが合図だ。そうしたら、すぐにアタッシェケースを持ってそこを出ろ」

「どこへ行くんですか？」

「隅田川に向かって道路の右側を歩け。六、七百メートルで勝鬨橋《かちどきばし》に出る」

「知っています」

「勝鬨橋のちょうど真ん中まで行ったら、アタッシェケースを川に落とせ」

「川に落とすんですか？　お金が濡《ぬ》れちゃいますよ」

「お前がそんなことを心配する必要はない。投げ終ったら家に帰っていい」

「直樹は、直樹はどうなるんですか？」

「家に帰れば、息子から電話がある。もう解放したのだから、あとは親子で好きにするがいい」

「絶対まちがいないですね。お金をわたしたら殺すなんてことないでしょうね」

「くどい。早く電話しろ」

靖樹は、慌《あわ》てて受話器をおろした。

靖樹を尾行してきたのは、遠山《とおやま》と松本《まつもと》の二人の刑事である。遠山は警視庁捜査一課からやってきたベテランで、年齢は四十歳。松本は所轄署の駈《か》け出しで二十五歳である。往診に行くと言いながらこんなところにやってきた。やはり、杉崎の予感は適中したのだ。

「おい、立ったぞ」

ロビーの片隅《かたすみ》から靖樹を見張っていた遠山は、靖樹が立ち上がるのを見て松本に言った。松本は、さりげなく靖樹のあとを追った。

遠山のところからだと、靖樹が電話している姿が見えた。栗原という呼び出しは、犯人との打ち合わせの名前であるということにやっと気づいた。

電話は、二、三分で終って靖樹がどこかへ行く。これは松本が見張っているはずだ。と思ったとき、靖樹がロビーの方をうかがっている姿が見えた。犯人は、二人が尾行していることに気づいて、靖樹に注意しろと言ったのか……。

靖樹はすぐに首をひっこめた。松本が足早にもどってきた。

「出ますよ」

耳もとにそう言い残して、松本は一足先にホテルを出て行った。そのあとに靖樹がつづく。手には往診かばんとアタッシェケースを持っている。

家を出たときは往診かばんだけで、途中でアタッシェケースを買った。おそらく、ホテルのどこかで、身代金《みのしろきん》をアタッシェケースに移しかえたとしか考えられない。

遠山は、靖樹がホテルから出るのを待って外へ出た。靖樹は、晴海《はるみ》方面に向かって、右側の歩道を歩いている。その五メートルほどうしろを松本が尾行している。

遠山は交差点まできたとき、道路の反対側にわたった。犯人も、おそらく靖樹の動きを見張っているはずだ。いったい、どこで奪うつもりなのか。

道幅は広いけれども、靖樹と松本の動きは手にとるようにわかる。

二、三百メートルも歩いたとき、遠山は突然閃《ひらめ》いた。目の前の電話ボックスに飛びこんで、柿沼の家にいる杉崎に電話した。

「いま柿沼は、晴海通りを歩いています。どうやら受け渡しは川のようです。至急、水上署からボートを、勝鬨橋《かちどきばし》にまわしてくれるよう、言っていただけませんか」

「わかった」

遠山は、これまでの尾行の経緯《いきさつ》を簡単に説明して電話を切った。

二人は、すでにかなり先へ行っている。遠山は、小走りで追いかけた。勝鬨橋はもう目の前である。

この橋の上から、身代金を落とすという遠山の勘がもしはずれたら……。そのときはそのときだ。

橋のたもとまできて、靖樹の足がおそくなった。真ん中までやってくると止まった。下を見下ろしている。

――やはり勘はあたった。

遠山も、反対側の欄干《らんかん》にもたれて下をのぞいた。怪しいボートみたいなものはどこにも見当らない。

ふたたび靖樹の方に視線を向けたとき、遠山の目のはしをかすめて、何かが落下した。見ると、いままで気づかなかったが、浮浪者らしい男が去るところだった。

おそらく、ごみでも捨てたにちがいない。

靖樹が、アタッシェケースを欄干に乗せた。周囲をちらと見てから、それを川に落とした。

遠山は、もう一度川に目をやった。犯人は、どこかから必ずあらわれるはずなのに、川上から近づくボートはない。

靖樹は、あとも見ずに、いまきた道をもどって行く。橋を過ぎたところでタクシーをひろった。

それを見届けて、遠山は橋の反対側にわたった。橋の真ん中に松本が立って、川を見下ろしている。

「あれです」

下を指さした。まちがいない。靖樹が持っていた黒のアタッシェケースだ。

「犯人はどこからあらわれるんですか？」

松本が苛立《いらだ》たしげに言った。

「わからん」

「放っといたら沈んじゃいますよ」

「そんなことは犯人に言え」

遠山は思わずどなってしまってから、おそらく、東京湾に出たら、モーターボートか何かがあらわれて、アタッシェケースを拾いあげて、逃走するつもりだと思った。しかし、それまであのかばんが、沈まずにもつだろうか。

水上署のボートはまだ姿をあらわさない。

「あれ、あれを見てください」

耳のはたで、松本のどなる声が聞こえた。松本は、橋の真下を指さしている。

「柿沼が投げたのと同じアタッシェケースですよ」

遠山の目は、橋の下からあらわれたアタッシェケースに釘《くぎ》づけになった。

「これは、どういうことですか？」

――そうか。

さっき、遠山の脇《わき》にいた浮浪者が何か落としたが、あれがそうだったのか。

遠山は、振り向いて浮浪者を捜したが、影も形もない。

「いちいちおれに聞くな。犯人じゃないんだから、わかるわけがないだろう」

近ごろの若い奴《やつ》ときたら、あたえられた問題しか解けない。こういうのが偏差値人間というんだ。

遠くに、水上署のボートが見えた。遠山は、連絡しようとトランシーバーを手にした。

そのとき、二つのアタッシェケースが、突然大音響とともに爆発した。激しい水柱があがり、それがおさまると、水面には細かい浮遊物が散乱しているばかりだった。

砂利を積んだ荷船がゆっくりと川を上ってきて、その浮遊物をかきまわした。長い航跡がようやく消えると、あとには、何事もなかったような黒く汚《よご》れた川面にもどっていた。

「どうして、かばんが二つなんだ？」

遠山は、橋の下までやってきた水上署のボートに、連絡するのも忘れてつぶやいた。

「どうして、身代金が爆発しちまったんです？」

松本も同じようにつぶやいた。

「おい、ベンツがやってきたぞ。柿沼んちのじゃねえか？」

天野が見張り台からどなった。

「そうかもしれねえ」

柿沼はゆっくりと見張り台に上った。首だけ出して下をのぞくと、ベンツが止まって、靖樹と奈津子がおりてくるところだった。

「直ちゃん」

奈津子は、柿沼の顔を見ると、喉《のど》の奥からしぼり出したような声で言った。

「直樹、無事だったか？」

靖樹がつづいて言った。ベンツから、もう一人ごつい感じの男が出てきた。ポリ公だなと柿沼は直感した。

「うん。このとおりぴんぴんさ」

柿沼は、両手をふってみせた。

「犯人は、いつ解放してくれました？　私は杉崎警部です」

「一時だよ」

「一時ですか？　まちがいありませんね」

「まちがいないさ。ぼく時計持っているもん」

「どうして、すぐ家に帰ってこなかったのよ？」

奈津子はうらめしそうに言った。

「だって、家へ帰ったらここへ来れなくなるじゃん。みんなを裏切りたくなかったからさ」

「誘拐されたんだもの、特別よ」

杉崎は、「まあ、まあ」と奈津子を押しとどめてから、

「君が誘拐されたのはどこだったかい？」

「堤防の上だよ」

「そのとき、だれかいたかい?」

「ううん。横に車が停《と》まったと思ったら、ドアーがあいて、中へ引っ張り込まれちゃったんだよ」

「男は何人いた?」

「運転していたのと、座席に一人」

「顔はどんなだった?」

「引っ張り込まれたとたん、頭から袋をかぶせられたんだ」

「監禁された場所は?」

「車で四十分くらい行ったところだよ」

「そこで、犯人の顔を見ただろう?」

「いつも目と鼻と口だけが出てるスキー用のマスクをしていたから顔はわからなかったけれど、プロレスラーみたいな大男だったよ」

「二人ともかい?」

「運転手はチビだった。でも、いつもいるのは大男一人だったよ」

「最後は、どこで解放してくれた?」

「中学だよ。車が停まったかと思うと、いきなり放り出されたんだ。そこで目隠しを取ったら、中学だったんだよ」

「犯人は、なぜ解放するか、理由は言った？」

「言ったよ。産婦人科医というのは、子どもをまるでゴキブリみたいに殺す悪魔だって。だから、神にかわってやっつけたんだってさ」

「そいつ、うちの患者だったのか？」

靖樹が聞いた。

「ううん。うちとは全然関係ないんだって。産婦人科医だったら、だれでもよかったみたい」

靖樹は、歯を食いしばってうなった。

「じゃ、お金は？」

「お金がほしくてやるんじゃないから、お前のおやじがお金を持ってきたら、全部捨てちまうんだって言ってたよ」

「そいつ、頭の調子がおかしいんじゃないのか？」

「そういえば、そうかもしれないな。こんなこと言ってたよ」

「どんなことだい？」

杉崎は頰《ほお》を緊張させた。

「ぼくたちが、あんな奴いない方がいいなと思ってる人間がいたら、そいつの名前を書いた紙をN橋の欄干《らんかん》に貼《は》っておけってさ」

「そうしたらどうするって言ってた？」

「そいつを消してやるって」

柿沼の奴、調子に乗って、打ち合わせにないことまで言っている。

「おい。ヤバイぞ」

英治は、柿沼の耳に囁《ささや》くのだが、まるで聞こえないみたいだ。

「そいつは、まちがいなく精神異常者だ」

靖樹が言うと、杉崎がうなずいた。

「あなたたち、まちがっても、そんな紙を橋に貼っちゃだめよ」

奈津子の声はふるえている。

「ぼくはやらないけど、だれかやる奴がいるかもしれないよ」

「あなた、その話みんなにしちゃったの？」

「そりゃ、したさ」

「どうしましょう」

奈津子は、靖樹と杉崎の顔を交互に見た。

「監禁されていた場所だけれど、ふつうの部屋だったのか、それとも……」

「下はコンクリートで、とても広かったから、倉庫だったかもしれないよ」

「何か音は聞こえなかったかい?」

「全然」

「においは? たとえば油とかゴムとか、肉とか野菜とか……」

「何かにおいはしてたけど、思い出せないなあ」

「もう少しくわしく聞きたいんだけれど、そこを出てきてもらうわけにはいかないかなあ」

杉崎は、ポリ公にしてはひどく低姿勢だ。

「それはだめだね。ぼくはやっと解放区にこれたんだもん」

「でもねえ、そういう犯人は早くつかまえないと、また、どんなわるいことするかもしれないわよ」

奈津子が、なんとか説得しようとしている様が、手にとるようにわかる。

「そいつ言ってたよ。わるい奴しかやらないって」

「だって、あなたを監禁したじゃないの?」

「だから、ぼくを解放するとき、ほんとは、おやじをやりたかったんだ。わるかったって謝ってたよ」

「きょうのところはこれで帰ろう。直樹の無事な姿さえ見ればいいじゃないか」

靖樹が言うと、奈津子はうなずいた。

「困りますなあ。犯人逮捕にもう少し協力していただかないと」

杉崎は不満そうだったが、二人が自動車に乗りこんでしまったので、

「坊や、また聞きにくるからね、そのときおしえてくれよ」

と言った。

「いいよ。じゃバイバイ」

柿沼は、杉崎に向かって手を振った。車は走り去った。

「行っちゃったぜ」

英治と柿沼は、見張り台からおりた。みんなが柿沼に拍手をおくった。

「柿沼、お前の演技うまかったぜ。あれなら、だれだって犯人はプロレスラーみたいな大男で、頭のちょっとおかしい奴と思っちゃうぜ」

安永が、いかにも感心したふうに言った。

「考えてたわけじゃないんだけど、うそが自然に出てきちゃったんだよ」

「そこがすげえんだよな。お前ペテン師になれるぜ」

「だけどさあ、かばんを二つ流したのは、ちょっとやり過ぎだったんじゃねえかなぁ」

宇野が心配そうな顔をした。

「いいってことよ。おとなってのは、あれで頭がますます混乱する。いまごろ、なぜかっていっしょうけんめい考えてるだろう。だけどこの問題には答えがないんだから、いくら考えたって時間のむださ」

中尾は、唇《くちびる》をほころばせながら言った。

「問題ってのは、出されるより出す方がおもしろいな」

秋元が言った。秋元の通知表は、美術だけが5で、あとは全部2である。

「かばんを爆発させる必要はあったのかな」

吉村が首をかしげた。

「爆発させなきゃ、きっと警察にひろわれる。そうすると千七百万円が抜かれていることがわかっちゃうじゃねえか。千七百万円がなくなったと思わせるには、どうしても爆発させなきゃならなかったんだ」

中尾の論理は明快である。

「それより、谷本はすごいぜ。ちゃんと時限装置で花火の火薬を爆発させたんだからな。もし爆発しなかったらどうなるか……。それを考えると、ひやひやだったぜ」

「こういうことを考えるんじゃねえかな？　柿沼のおやじは、かばんの中に身代金を入れただけだ。それを川に投げたら爆発したとなると、どこかで、爆弾を仕掛けられたにちがいない」

吉村の推理もまんざらではない。

「もちろん考えるさ。やつらだってプロだからな。そうなると、かばんを手放したのは、ホテルで電話したときしかない……」

「ちょっと待ってくれ」

瀬川が口をはさんだ。

「あのとき、柿沼君のおやじさんがかばんから手を離して、ロビーの方を見た時間は三秒か四秒だ。その間に、わしは隣の電話機のところにいて、同じかばんとすりかえたんだ。まさか、すりかえられたとは思わんだろう」

このアイディアを考えるのには、ずいぶん時間をかけた。実行してもらうのは瀬川しかいない。最初は、スリのまねはできないとごねたのだが、みんなで頼みこんで、やっと承諾《しょうだく》してもらったのだ。

「かばんをすりかえるとき、刑事には見られなかっただろうね」

英治が聞いた。

「お前さん、わしを見くびっちゃいかん。こう見えてもわしは、戦場で弾丸の雨をくぐり抜けてきたんだ。いざとなりゃ度胸はすわるさ。刑事には絶対見られておらん」

瀬川は自尊心を傷つけられたせいか、少しばかり不機嫌《ふきげん》になった。

「わしは、ホテルのトイレで身代金と爆弾を入れかえたのだ。それから、浮浪者をつかまえて、二千円やってかばんを勝鬨橋から投げこませた。たとえ警察が浮浪者を見つけたとしても、わしを捜すことはできん」

「それに、一時という時間には、犯人は柿沼といっしょにいたことになってるんだ。これじャホテルに行けるわけないだろう」

中尾の言うとおりだ。

「よし、ではもう心配することはない。ジュースで乾杯しようぜ」

相原が言うと、みんなの前に缶ジュースが配られた。缶を合わせた。

「乾杯」

「みなさん、ありがとうございました。おかげで、サラ金の借金は全部返すことができます。この御恩は一生忘れません」

田中は、声をつまらせて言うと、一人一人に向かってお辞儀をつづけた。

「おっさん、頭を下げるのはよしてくんないかな。みんな困ってるぜ」

「相原の言うとおりさ。おっさんの借金はこれでなくなった。もうサラ金から追っかけられる心配はない」

「まるで夢みたいです」

「ちょっと待って。おれだって、おやじをやっつけることができてせいせいしてるんだ。みんなだって、探偵《たんてい》ごっこができて楽しかったろう?」

柿沼が、からりとした顔で言った。

「楽しかったぜ。だけど、ちょっとパンチがきつ過ぎたかな」

安永が、すまなそうな顔をした。

「とんでもない。私は、もっともっとなぐられなければ気が済みません。坊っちゃんにガムテープをはったり、しばったりしたんですから。ほんとうにわるかったと思います」

「もういいってこと。おっさん、これからどうするんだ？」

「大阪へ行って、ゼロから出直したいと思っています」

「そうか。じゃ、これでお別れだね」

柿沼は、ちょっと淋《さび》しそうな顔をした。

「おねがいがあるんですが、もう一晩だけここに泊めていただけないでしょうか？」

「それはいいけど、なぜだい？」

相原が聞いた。

「屋上の仕掛花火《しかけはなび》を見たんですが、あれでは、火をつけてもうまく字になりません。私に手直しさせていただけませんか？」

「おっさん、花火のこと知ってんのか？」

立石が聞いた。

「ええ、田舎《いなか》にいた頃、祭で仕掛花火を出すとき手伝っていましたので……」

「そいつはありがてえや。ほんとのことというと、うまくいくかどうか、自信がなかったんだ」

立石は、ぺろりと舌を出した。

「こいつ……」

安永はなぐるまねをした。

「あしたは、すばらしい花火を見せられるぜ。テレビにもおしえてやった方がいいんじゃねえのかな」

立石の声もはずんでいる。

「そうだな。そうしようぜ」

英治は、相原の顔を見た。相原が大きくうなずいた。

六日　総攻撃

1

午前六時。

テレビも見ないし、勉強もしない夜が五日つづいた。

電気もテレビもないのだから、自然にみんなと喋《しゃべ》り合うことになる。とくに、真っ暗というのは、何を言っても恥ずかしくないということがいい。

「菊地は橋口純子が好きだ」とか、「おれは中山ひとみの方がいい」とか、みんな勝手なことを言い合った。

英治は、ほんとは西脇先生が好きだと言いたかったのだが、どうしても言えないのがもどかしかった。

毎朝、西脇が差し入れを持ってきてくれるのが、英治にとっては何よりの楽しみだった。これが、夏休み中つづけば、どんなにかいいと思う。

料理はたいてい缶詰で、順番ということになっているが、日比野がコック長で、いろいろとアドバイスする。もちろん、そのときつまみ食いは忘れない。

風呂《ふろ》はもちろんないから、昼間、消火栓《せん》の水を噴水みたいにして、みんなすっ裸になってかぶった。

洗濯《せんたく》は、工場の隅《すみ》にころがっていたドラム缶を持ってきて、その中に水と洗濯物と洗剤をいっしょくたに入れ、二人で入って踏むのだ。これでけっこうきれいになる。

固い床《ゆか》の上で寝ることも、慣れてしまえばなんともない。最初は、夜になるとホームシックにかかっていた宇野も、おふくろや家のことはすっかり忘れてしまったらしい。

それと、いつも一人ぼっちで、だれとも口を利《き》いたことのない小黒が、すっかり明るくなり、おしゃべりになった。

不思議なことに、こんな生活をしているのに、かぜをひいたり、腹が痛くなったりする者が一人もいなかった。

遊びは、瀬川がおしえてくれた水雷艦長、長馬、けり馬、石けりなどをやった。

その中で、とくにみんなが気に入ったのはけり馬である。けり馬は、ジャンケンをやって、いちばん負けた者が胴、次に負けた者が頭ときめる。ほかの仲間は乗り手である。

頭役は立って、胴は頭役の腰にしがみつく。頭役は両手で胴の目隠しをして、どちらに進むかおしえる。胴役は、近づいてきた者を足でけとばす。けとばされた者は胴になり、胴は頭。頭は乗り手になれる。

乗り手は、胴にけられないようにしてとび乗る。胴がつぶれたら、その組でいつまでもつづけなければならない。だから頭も胴も必死だ。

こういう男っぽい遊びは、危ないからといっていままでやったことがなかった。それだけに、やってみると新鮮で楽しい。

「西脇先生がきたぞ」

見張り台の上の中丸《なかまる》がどなった。

「やったあ」

毎朝、西脇の定期便がくるたびに、全員が浮き浮きした気分になり、活気がみなぎってくるから不思議だ。

英治は、柿沼を押し上げるようにして見張り台に上った。

「柿沼君、元気そうね」

西脇の皓《しろ》い歯がきれいだ。

「元気でーす。きのうはどうもありがとう」

「きょうの新聞に、柿沼君の誘拐《ゆうかい》のことがいっぱい出てるわよ」

そういえば、きのう柿沼の両親が帰ってから、テレビや新聞記者が何人もやってきた。そのたびに柿沼は、見張り台に立ってインタビューに応じた。

「犯人のこと、なんて書いてあった?」

英治は、それにいちばん関心があった。

「からだのがっしりした、精神異常者じゃないかって……。君たちもよく言うわね」

「そうか、先生は知ってたんだよな」

「知ってたじゃないわよ、倉庫の中にころがされてたなんて。おとなたちはみんな信用してるわよ」

「子どもは、うそをつかないもんな」

「呆《あき》れたわ。かばんに爆弾仕掛けたのもあなたたちでしょう?」

「そうだよ」

「どうして、そんなぶっそうなことしたの?」

「お金をばらばらにしたかったのさ」

「わからないわね」

西脇は首をひねった。

「あとで、先生には真相をおしえるよ」

「どうでもいいけど、あなたたちやったわね。見直しちゃった」

「おれたちがやったと言えないところが残念なんだ」

「どうして言えないの？」

「それも、あとでね」

「気を持たせるわね。ロープおろしなさいよ」

「ＯＫ。けさの献立ては何？」

英治は、ロープを垂らしながら聞いた。

「ミックスサンドにオレンジジュース。数が多いんだから、これで我慢しなさい」

英治はふり向いて、

「おーい、ミックスサンドだぞ」

とどなった。広場にいた連中は、喚声をあげて塀《へい》に飛びつくと、頭を出した。

「先生お早う」

「お早う。あなたたち、いつまで続けるつもり。こんなことしてたら、私のボーナスみんな消えちゃうわよ」

「いいって、いいって。そのかわり、いいおむこさん探してあげるから……」

「あなたたち、いくつだと思ってるの？」

「十二歳と十三歳さ。だけど先生、わるい男と結婚したら、一生泣きを見ることになるんだぜ」

西脇が吹き出した。

「マジに聞いてくれよ。先生のためを思って言ってんだからな」

安永は、ほっぺたをふくらました。

「ありがとう」

西脇は優《やさ》しい声で言った。安永も、英治と同じことを考えているのだろうか。そう思うと、英治は少しばかり嫉《や》けてきた。

「先生、こんやの八時、河川敷《かせんじき》の花火大会にきてくんないかな」

安永が言った。

「いいわよ。だけど、どうして？」

「先生に見せたいものがあるのさ。この屋上から絶対目を離しちゃだめだぜ」

「いったい何をやるっていうの？」

「花火を出すんだよ」

「花火？」

「そうさ。先生へのおれたちのメッセージさ」

英治が言った。

「だめよ。危ないわよ」

「危なかねえさ。こっちにはプロがいるんだぜ」

「あなたたち、おとなをあまく見過ぎてるわよ」

「あまくなんか見てねえよ。奴らはおれたちの敵なんだから」

「花火なんか出したら、そこを潰《つぶ》すきっかけをあたえるようなもんじゃないの」

「それがこっちの作戦さ」

「本気で戦うつもりなの？」

「いけないか？」

「何がいけないかよ。けがしたらどうするの？」

「戦争だから、けがぐらいしかたないよ」

「だめ、おねがいだからやめて」

「先生、そんなにおれたちが心配？」

「心配よ。きまってるじゃない」

「優しいんだな」

「ばかね。無茶しちゃだめよ」

西脇は、車に乗ると行ってしまった。英治は本気で言ったのに、先生はふざけて言ったと思ったらしい。それが、ちょっぴり口惜《くや》しかった。

午前七時。

「お早う。これから解放区放送をはじめるぜ。みんな、もう起きてるだろうな。おれたちは電気のないところにいるから、毎日お日様といっしょに起きてるんだぜ。夏は朝がいちばんだ。まだ寝ぼけてる奴は、早く水で顔を洗ってこい」

六日目になると、相原のアナウンスもすっかり板についてきた。

「さて……と、きょうは、みんなに喜んでもらいたいことがある。そう言えば、頭のいい君たちにはツーカーとわかると思うけど。そうなんだ。柿沼が帰ってきたんだ。その詳細《しょうさい》については、朝刊を読んでくれたまえ。では、柿沼の声を聞かせることにしよう」

「お早う。ぼく柿沼です。みんなに心配かけてわるかったな。でも、ぴんぴんして帰ってきたぜ。君たち、誘拐犯人を見たことあるか？　もちろんないだろうな。ところが、おれはこの目でちゃんと見たんだ。顔はマスクしてたからわからなかったけど、すげえでっかい男だった。まるでプロレスラーみたいだったぜ。だからこっちはおとなしくしてたよ。戦っても勝ち目はないもんな。そいつは、ひどいことはしなかったけど、もう人質《ひとじち》になるのはごめんだな。

おれがどうして誘拐されるなんてドジなことをやってしまったか、そいつを聞きたいんだろう？　わかってるよ。ほんとは、おれの恥になるから言いたかねえけど、参考のために話すから、よく聞いてくれ。

あの日は終業式だった。通知表をもらったら、あまりの成績のよさに、ウハウハしながら校門を出た。こんなこと言っても信用する奴はいないと思うけど。

おれは、荒川でちょっと時間をつぶしてから堤防に出た。そうしたら、車がさっと脇《わき》に寄って来て、中へ引っ張り込まれちゃったんだ。それから頭に袋をかぶせられた。まったく、あっという間の出来事で、これでは、だれだってやられると思うぜ。みんなも、変な車が近づいて来たら気をつけた方がいい。じゃあ、バイバイ」

柿沼は、男の顔を見ていないと言った手前、きのう杉崎にでたらめな話をでっちあげたのだ。

ほんとうは、学校の帰りS駅の近くの本屋でマンガを立ち読みして外へ出た。すると男がそばに寄ってきて『お前、いま本を万引きしたろう？』と言う。『じょうだんでしょう。万引きなんかしません』

いくらなんでも万引きはひどい。かっとなって言った。すると男は、『おれは刑事だ。そういう弁解は警察に来てから言え』と言って、無理矢理車に乗せられたというのが真相なのだ。

それにしても、警察と言われただけで、こんなにも簡単にだまされたことは、柿沼にとっては一生の不覚であった。

「それは、お前がポリ公とかセン公は、マジでうそをつかないおとなだと思いこんでいたからさ。おとなというやつは、親はもちろん、総理大臣だって信用しちゃいけねえ」

柿沼の話を聞いたとき瀬川は、そう言って柿沼をたしなめたものだった。

柿沼は、マイクを相原にかえした。

「みんな。おとなってのは何をやるかしれねえから、気をつけようぜ。それからお知らせを一つ。こんや六時半からの解放区放送は、絶対聞き逃《のが》さないでくれよ。おじいさんもおばあさんも、お父さんもお母さんも、君たちも全員聞いてもらいたいんだ。実況生放送だから期待してもらっていいぜ。

放送を聞き終ったら花火を見にきてくれよ。こんやの花火大会には、おれたちも参加するから、ぜひ解放区を注目してくれたまえ。じゃ、朝の解放区放送はこれで終り。バイバイ」

相原はスイッチを切ると、「屋上に行こうか。柿沼もこいよ」と言った。

柿沼が屋上に上がるのははじめてである。柿沼は空を見上げて大きく伸びをした。毎日天気がつづいて、青い空に白い雲が一つ、ぽっかりと浮いている。

「これが例の仕掛花火か？」

柿沼は、ビニールシートですっぽり蔽《おお》った仕掛けの枠《わく》を見て言った。

「そうさ」

「ずいぶんでかいもんだな」

「こんやは、みんなおどろくぜ」

「ちゃんと字になるんだろうな？」

「田中のおっさんが大丈夫だって言ってたから心配ねえよ」

「ナンバー35、聞こえますか？」

相原のトランシーバーが鳴り出した。

「ナンバー1、感度良好。どうぞ」

英治は、川の見える側に柿沼を引っ張って行った。堀場久美子の姿が小さく見えた。

柿沼は、手でメガフォンをつくって「ヤッホー」と言った。

「ナンバー6の様子をどうぞ」

相原は、トランシーバーを柿沼にわたした。

「お前話せよ」

「こちらナンバー6。このとおり元気だぜ」

柿沼は、左手を大きく振った。

「けさの新聞に派手に出てたよ。犯人は、プロレスラーみたいな大男だってさ。笑っちゃったよ」

「おかしいと思ってる奴いるか？」

「いないよ。いまごろでっかい男を捜してるんじゃないかな」

「そいつは、いい暇《ひま》つぶしになるぜ。ところで、こんやの放送は大丈夫だな？」

相原が話しかけた。

「バッチシ。まかしといて。六時半の実況は絶対成功させるよ」

「それを聞いて安心したぜ」

「そっちはいいんだけど……」

久美子は声を曇《くも》らせた。

「なんだ？」

「おとなたちがだいぶぷかりかりきてるよ」

「迷路か？」

「あれで、校長も相当頭にきたらしいよ。うちのおやじと電話で話してるの盗聴したんだけど、覚悟をきめたってさ」

「覚悟ってなんだ？」

「ポリ公に頼むことだよ」

「それじゃ、こんや放送したら、あしたは攻めてくるかもしれねえな」

「やるよ。きっと」

「くるときまったら連絡してくれよ。こっちもやることがあるからな」

「わかってるよ」

「じゃ、頼んだぜ」

相原は、トランシーバーをオフにした。

「こんやが最後になるかもしれねえぜ」

「うん」

英治は相原と目が合った。二人の間では、これ以上何も言うことはない。

「なんだ。もうやめちゃうのか？」

柿沼は、いかにも残念そうに言った。

「おれは、まだやめたかねえさ。だけど、ポリ公とまともに戦ったら勝ち目はねえよ」

相原は冷静である。

「おれたちは子どもだぜ。そこへおとなが攻めてくるなんて、おかしいんじゃねえのか」

「子どもだから、許せねえんだ。それがおとなさ」

「わかんねえな」

柿沼は首を振った。

「おれ、ごめんなさいって言うのいやだぜ」

「そんなこと言うもんか。降参はしねえよ」

「じゃあ、どうするんだ？」

「奴らを、あっと言わせてやるんだ」

「武器はあるのか？」

「そんなものはいらねえ。そのかわり、テレビを呼ぶんだ。それから、正門の内側にバリケードをつくる」

「正門から入ってこねえかもしれねえぜ」

「どこから入ってきたっていいのさ。バリケードくらいつくらなくちゃ城にならねえだろう」

「おれ、ちょっと考えたんだけど……」

英治は、非常階段をおりながら、相原に話しかけた。

「なんだ？」

「塀《へい》に、花火を仕掛けておいたらどうかな。きっとおどろくと思うけどな」

「そいつはいただきだ。塀がいっせいに火を吹いたら、校長は心臓麻痺《まひ》だな」

相原は、英治の背中を思いきりたたいた。一瞬、息が止まったが、英治の唇《くちびる》は自然にほころびた。

2

堀場久美子は、相原に大丈夫だ、まかしておけと胸をたたいたものの、家にもどってきたとたん、急に落ち着かなくなった。

「あなた、きょうどうかしてるんじゃない？　何があったの？」

母親の睦子に言われて、久美子はぎくりとした。

「ないよ。変に気をまわさないで。私は、この夏休みから心を入れかえたんだからね」

「へえ……。何日つづくかしらね」

睦子が、頭から信用していないのは当然だ。

「パパ、きょう何時に会社に行くの？」

「いつもと同じ九時よ。そんなこと聞いてどうするのよ」

「別に……」

「わかったわ。パパが出かけたら、どこかへ遊びに行くんでしょう」

睦子はまったく見当ちがいのことを考えている。久美子はおかしくなった。

「どお？　ママの言うことは図星でしょう。どこへ行くか正直に白状しなさい」

「ちょっとね」

こう言っておけば、睦子は久美子の本心に気づかないはずだ。

「ママも出かけるから、よかったら途中までママの車に乗せてってあげるわよ」

自分が遊びに行くときは、気がひけるのか、言いなりに小づかいをくれたりする。これでは、ばかばかしくて、とてもお説教を聞く気にならない。しかし、睦子が出かけるとはねがってもないことだ。

「いいよ。あたしは午後からだから」

「そう。じゃ、夜は外で食べていらっしゃい」

久美子は、黙って手を出した。

「きのうあげたでしょう」

「きのうときょうは別だよ」

「しかたないわね」

久美子は、ハンドバッグをのぞきこんだ。

「こまかいのがないわ」

「大きいのでもいいよ」

「ちゃんとお釣りかえしなさい」

睦子はそう言いながら、無雑作《むぞうさ》に五千円札を出した。

「なんだ、これっぽっちか」

「これっぽっちとは何よ」

これ以上ママと遊んではいられない。本題に入ることにした。

「ねえ、パパって夏だっていうのに、出かけるときいつもスーツ着て行くけど、どうして?」

「そりゃ、紳士だからよ」

「見てると、毎日別の着てるみたい」

「そりゃ、おしゃれだからよ」

睦子は、何かほかのことを考えているらしい。返事が上《うわ》の空《そら》である。

「きょうはどんなジャケット?」

「あなた、どうしてそんなくだらないことに興味があるの? どうだっていいじゃないの?」

「じゃ、ママは無関心?」

「そうよ。パパって、ママの選んだのじゃ気に入らないの。だから、パパの好きにさせてるのよ」

「でも、よその家では奥さんの選んだのを着て行くみたいよ」

「よそはよそ。うちはうち。もうあなたのお喋《しゃべ》りにつき合ってる時間はないから、黙ってて」

睦子は、久美子に背を向けて洋服だんすの中をかきまわしはじめた。きょう着て行く服をどれにしようかと迷っているにちがいない。どれ着たって同じだよと言いたいのを我慢した。

父親の千吉は、八時半に起きてきた。

「お早う」

久美子は、食卓に座った千吉の前に、トースト、ハムエッグ、オレンジジュースを運んだ。

「お早う。久美子は、この夏休みになってすっかり変ったな」

千吉は、上機嫌《じょうきげん》で久美子を見上げている。

――バカねえ。もうすぐ裏切られるともしらないで。

「あたし、もうつっぱりから足を洗ったのよ」

「そうか、それは立派だ。お前はパパに似て、もともと頭のいい子だから、いつかは気がつくと思っていたが、さすがだな」

「パパって毎日ジャケット替えるでしょう？　おしゃれなのね」

「おしゃれというより、身だしなみだ」

「ねえ、きょうはあたしに選ばしてくれない？」

千吉は、ちらっと久美子を見た。気づかれたかなと心配になってきた。

「そうだな。若い女の子に選んでもらうのもわるくないな」

「じゃ、あたしが持ってきてあげる」

久美子は、ダイニングキッチンを飛び出して、二人が何を話しているか立ち聞きした。

「久美子はすっかりいい子になったな。なんだか顔つきまで変ったみたいだ」

千吉が睦子に話しかけている声が聞こえた。

「塾に通って猛勉強して、東大を狙《ねら》うんだって」

「うれしいことを言ってくれるじゃないか。これでうちの跡取りができたってもんだ」

おとなって、いい気なもんだ。自分たちの頭を考えたらわかりそうなもんだ。ばかばかしくて、怒る気にもなれない。

久美子は、急いでロッカーから白い麻のジャケットを持ってくると、その内ポケットに、谷本からわたされた小型の盗聴器をしのばせ、ダイニングキッチンの入口まで戻ってくると、そのまま立ち聞きをつづけた。

「いまの学校は、少しはめをはずすと、すぐに非行だというレッテルをはって差別してしまうが、よくないことだな」

「時期がくれば、ちゃんと立ち直るのにね」

「子どもが立ち直れるか直れないかは親の問題だ」

「私たち、あの子に立派な親だって言えるかしら？」

「言えるじゃないか。おれだって、PTAの会長を引き受けさせられるくらいだから名士だ」

「その娘がスケ番じゃね」

「だいぶ肩身の狭い思いをしてきたが、これで校長にも大きな顔ができる」

「校長さんに気をつかうことはないでしょう。パパがいつもお世話してるんだから」

「あの男もいままでは、うまくやってきたんだが、最後にきてみそをつけた」

「こんどのこと？」

「来年は辞《や》めなくちゃならんからな。再就職には大きなハンデだ」

「だって、しかたないでしょう」

「しかたないでは済まんさ。校長だからな。当然、管理能力を問われることになるさ」

「テレビにまで出たのはまずかったわね」

「そのことで、こんややってくるんだ」

「あら、こんやは談合が成功した慰労会でしょう？」

「うちが落札したのは、川向こうのS市の老人ホームだが、見返りとして、こんどの市長選挙の票の取りまとめを引き受けさせられた」

「そんなことできるの？」

「下請《したう》け業者にやらせるのさ。きょう〝玉すだれ〟に集まるのが五十社ほどだ」

「どうして、そんなところでやるの？」

「S市でやったら目立つじゃないか」

「ああ、そういうこと」

「そこへ市長の岩切《いわきり》がやってきて挨拶《あいさつ》するんだ」

「なんの挨拶？」

「きまってるじゃないか。市長選挙の票の取りまとめのおねがいだ」

「そんなことしてもいいの？」

「よくはないさ。しかし内輪の集まりだからだれにもわかりゃせん。そこで、下請けに、お前は何票と票を割りあてるんだ」

「芝居の切符売るみたいね」

「みんな生活がかかっているから、必死になって票集めをするさ」

「校長さんは何しに行くの？」

「辞めたら、老人ホームの館長に横すべりしたいのさ」

「売り込み？」

「そうさ」

「生徒のことしか頭にないって言いながら、そんなことやってるの？　みんなが聞いたらおどろくわよ」

「立派なこと言ってるだけじゃ飯《めし》は食えん。みんなそんなもんさ」

「でも、虫のいい話。パパが引き受けたの？」

「無条件では引き受けんさ。それだけの仕事をしてくれたらの話だ」

「どんな仕事？」

「老人票の取りまとめだ」

「校長に、そんなことができるの？」

「むかし、S市で先生を長くやっていたからカオとコネはあるらしい」

「でも、公務員でしょう。そんなことやっちゃいけないんじゃない？」

「きれいごとは言っておれんさ。ちっとは泥をかぶる覚悟がなくちゃ……」

「男の世界ってきびしいのね。女に生まれてよかったわ。でも、岩切市長って、ワルだって評判よ」

「ワルだから利用できるんじゃないか。人間、ワルでない奴はばかの役立たずだ」

「そういえば、あなたも相当なワルですものね。いつも私をだまして……」

「そのかわり、ぜいたくな暮らしをさせているじゃないか。正直で貧乏なのとどっちがいい？」

「貧乏はいやよ」

「そうだろう。こんやってくるのは、S市の市長に建築課長、教育長に警察署長だ」

「警察署長まで……？」

「おどろいたろう」

久美子は、もう頃合《ころあ》いだと思ってダイニングキッチンに入って行った。

「選ぶのにずいぶん迷っちゃったけど、やっぱり、この白い麻のジャケットにしたわ」

「うん、これはパパの気に入ってるやつだ」

千吉は、素直に喜んで腕を通した。

「いいわ、よく似合うよ」

「そうか。これなら若い子にもてるか？」

睦子が思いきりつねったらしく、千吉は、「うッ」と言って顔をしかめた。

久美子は、笑いをかみ殺してダイニングキッチンを飛び出した。

3

「こちらナンバー14。緊急の連絡だ。どうぞ」

谷本の声がいつになく緊張している。何かあったにちがいない。

「こちらナンバー7。どうぞ」

「菊地か？」

「そうだ。何かあったのか？」

「さっき、西脇先生からおれのパーソナル無線にSOSが入ったんだ」

西脇と〝西脇先生の処女を守る会〟会員谷本の間には、ホットラインが敷かれてあって、西脇の身に危険が発生したときには、SOSを発信することになっている。

SOSと聞いて、英治は胸がどきどきしてきて、言葉がすぐに出てこない。

「聞こえてるか？　どうぞ」

「聞こえてるよ。どうぞ」

「きょうの昼ごろ、トドが先生のアパートに突然あらわれたんだってさ」

「トドが……？」

それはこういうことであった。

西脇は、昼になったのでどこかへ食事に行こうと思った。そのとき、ドアーをノックする音がした。

「どなた？」

西脇は用心ぶかい性質《たち》なので、不用意にドアーをあけることはしない。

「中学の酒井です。緊急にお話ししたいことがあってきました」

酒井と聞いていやな感じがしたが、緊急の用件といえば、中へ入れないわけにはいかない。

西脇はドアーをあけた。

部屋といっても1DKなので、小さなダイニングテーブルの椅子《いす》に酒井を座らせ、冷えたジュースを出した。

「何かしら？」

酒井の表情がこわばっているので、西脇も自然に硬《かた》くなる。それでなくても、酒井に話しかけられると、鳥肌《とりはだ》が立ちそうになるのだ。

「先生、毎朝子どもたちのところへ差し入れに行ってるでしょう？」

酒井にいきなり言われて、なんと答えようかと一瞬迷った。しかし、隠すこともないと思ったので、

「ええ、行ってますけど」と言った。

「それはまずいですよ」

「あら、どうして？　私は、生徒たちがかぜをひいたり、おなかをこわしたりしはしないか、それを聞きに行ってるんですのよ。養護教諭として当然のことと思いますけど」

「ふだんなら、それで通用しますが、いまはそんなふうには受け取られませんよ」

「どんなふうに受け取られるんですの？」

「生徒たちを煽動《せんどう》しているのは西脇先生ではないか。先生は隠れ過激派だって……」

西脇は、しばらく笑いが止まらなくなった。

「思いたい人には思わせておけばいいですわ」

「そうはいきません。そうなったら先生はこれですよ」

酒井は、手刀で首を切るまねをした。

「そんなばかばかしいお話しに、まともにお答えする気にはなれませんわ」

「先生は純真で、裏の世界を知らな過ぎます。世の中には、わるい奴がいっぱいいます。降りかかる火の粉は、自分で払わなければやられてしまいます」

「じゃ、どうしろとおっしゃるんですか？」

「ぼくに、火の粉を払わせてください」

酒井は、ぐっと顔を寄せてきた。鼻毛が束になって見える。

「それ、どういう意味ですの?」

「ぼくの嫁さんになってほしいのです。そうすれば、だれが来たって指一本さささせやしません」

「結婚なんて、私まだ考えていません」

「じゃ、婚約だけでもいいです。おねがいします」

酒井は頭を下げ過ぎて、額をテーブルにぶつけた。

「お断わりします」

「先生」

「ご用がそれだけでしたら、もうお帰りください」

「先生は、ぼくを敵にするつもりですか?」

「敵にするなんて言っていませんわ」

「しかし、あのガキどもは私の敵です。先生はあの連中の黒幕です。じゃ私の敵ということになるじゃありませんか」

「とにかく、もうお帰りください」

「いいです。帰りましょう。しかし先生はあすから、あのガキどもの煽動者だという烙印《らくいん》を押されますよ」

「しかたありませんわ」

「いい度胸だ。あとで泣かないことだ」

酒井は、ドアーを荒々しくあけると、捨てぜりふを残して出て行ってしまった。

「そういうわけなんだ」

と谷本が言った。英治は顔が熱くなった。

「やり方が汚《きた》ねえじゃんか」

「放っとくわけにはいかねえぜ」

「わかった。みんなで、どうするか考えるから、三十分たったらもう一度連絡してくれねえか」

「OK。じゃあな」

英治は、屋上から非常階段を駆《か》けおりながら、広場で迷路をこわして、バリケードをつくっているみんなにどなった。

「おーい、集まってくれ。西脇先生がヤバイことになったぞ」

安永が真っ先に走ってきた。

「どうしたんだ?」

英治は、まわりを取り巻いたみんなに、谷本からの報告を話して聞かせた。

「あんちくしょう。おれたちをだしにつかいやがって」

安永は、動物のようなうなり声を出した。

「放っとくわけにはいかねえな」

相原が言った。

「トドのことだから、自分の言うことを聞いてくれないとなったら、何をやるかわかんねえぜ。もしかしたら、西脇先生やめさせられるかも」

中尾が冷静な声で言った。

「そいつはねえぜ」

天野の顔が歪《ゆが》んだ。貧血をよく起こす天野は、西脇には特別世話になっているのだ。

「へたすると、先生魔女にされちまう」

「先生が魔女だって？」

天野は、目をむいて中尾をにらんだ。

「わるいことは、みんな先生におっかぶせちゃうのさ。そういうのを魔女狩りっていうんだ」

英治は、中尾の博識に感心した。

「助けようぜ」

「と言ったって、ここにいるおれたちに何ができるんだ？」

天野は、英治の顔を穴のあくほど見つめた。

「柿沼のときみたいに、女子にたのめねえかな」

「こうなったら、トドをやっつけるしかないさ」

「いい方法があるのか?」

相原につめ寄られて、中尾はうなずいた。

「ある」

みんなの視線が中尾に集中した。

「トドに、こう電話するんだよ。『西脇先生の伝言ですけれど、こんや六時に〝玉すだれ〟でお待ちしています』とな」

「だれが電話するんだ?」

「中山ひとみがいいよ。彼女なら、おばさんみたいな声出せるだろう」

「それはいいけど、〝玉すだれ〟っていや、こんや校長や市長が集まるところだぜ」

「それは六時半からだろう。だから六時にしたんだ。トドは、きっとそんな会合があること知らないはずだから、西脇先生の伝言だといや、喜んで行くと思うぜ」

「そりゃ、そうだけど」

相原は、口の中でつぶやいた。

「〝玉すだれ〟はひとみの家だから、彼女にたのめば、一部屋くらい取ってくれるだろう」

「そいつは大丈夫だ」

「そうしたら、その部屋にトドを待たせておくんだ」

英治には、中尾が何を言おうとしているのか、まだわからない。

「トドは、西脇先生がいま来るか、いま来るかと、いらいらしながら待っている。一方、別の大広間では、市長たちの宴会がはじまる」

「その宴会の様子は、盗聴して解放区放送で流すんだろう？　盗聴器はうまくセットしたのか？」

日比野が聞いた。

「盗聴器は、堀場久美子がおやじのポケットに入れてくれた。さっきテストしてみたけど、バッチシだ」

相原は、指で○をつくった。

「盗聴器の電池、夜までもつのか？」

「あったりまえじゃん」

「〝玉すだれ〟からここまでは、六、七百メートルあるだろう。電波が届かねえんじゃねえのか？」

柿沼が心配そうに言った。

「まず、盗聴器からの発信を最初に拾うのは中山ひとみだ。同時に彼女はFM発信器で電波を飛ばす。そこから一〇〇メートル離れて井原由紀子《いはらゆきこ》。また一〇〇メートル離れて白井直子《しらいなおこ》……というふうに、ここまで電波の鎖をつなげるのさ。そうすれば、それぞれが半径一〇〇メートルの範囲で到達するから、かなり広い地域にひろげることができる。もちろん、時間は同時にだ」

「そうか。そうやって解放区放送をやったのか？」

柿沼は、すっかり感心した。

「こういうことは、全部谷本が考えたのさ。あいつは天才だからな」

「それはわかったけど、それからどうなるんだ？」

日比野は、中尾の顔を見た。

「宴会の様子を盗聴して放送すりゃ、聞いた連中の中から、だれかがきっと〝玉すだれ〟に電話してくると思うんだ」

みんなが、大きくうなずいた。

「そこで、大騒ぎになって盗聴器を探《さが》すけど、堀場君のおやじのポケットにあるんだから、見つかりっこない」

「それとトドとどういう関係になるんだ？」

英治は、とうとう聞いてしまった。

「みんな、かっかして探してるところに、盗聴してるのは、トドだって電話してやるのさ」

「そうか」

相原が大きな声で叫んだ。

「そうなったら、トドは袋叩《ふくろだた》きにされることはまちがいないぜ」

「やったあ」

みんなが、いっせいに拍手した。

「まさか、西脇先生と待ち合わせしているとは言えねえもんな」

「おもしれえことになるぞ」

天野は、飛び上がって喜んだ。

「お前って、どういう頭してるんだ？」

安永は、呆《あき》れたように中尾の顔を見つめた。

「別に……」

中尾は、いつもと変らない。ここが中尾のすごいところなのだ。

4

午後六時。

酒井は〝玉すだれ〟の冠木門《かぶき》をくぐった。そこから玄関までの飛び石には打ち水がしてある。

酒井はこれまで、ラブホテルには何度も入ったことがあるが、こういうところははじめてである。

料金は、きっと高いのだろうな。きてくれと言ったのは西脇だから、西脇が払うのか。いや、そんなけちなことをしては嫌《きら》われる。

そんなことを考えながら玄関に立った。話は通じているとみえて、すぐに離れに案内された。

「おつれさまは、一時間ほどおくれるそうですから、お風呂《ふろ》に入って、テレビでもごらんになっていてください」

女中がそう言って引き下がった。一時間も遅刻するのはちょっとひどい。むっとしながら次の間の襖《ふすま》をあけてみた。なまめかしい布団《ふとん》が、二つ敷いてあるではないか。酒井は、頭に血が上《のぼ》った。頰《ほお》の筋肉が、限りなくゆるんでゆく。

西脇由布子が、こんなに早くものになるとは思ってもみなかった。やはり、男は押しなのだ。酒井は、すもうでやる鉄砲のまねをしながら、部屋中歩きまわった。

「やったぜ。おれは、日本一幸せな男だ」

午後六時三十分。

「こんばんは、こちら解放区。諸君。きょうも一日中暑かったけれど、からだの調子は大丈夫か？　ではただいまから、大都会のブラックホール、区内某所で行なわれようとする秘密の会合を、実況生中継する。もちろん、この中継を向こうは知らない。もし知られれば命はない。これこそまさに、本邦初公開。空前絶後の決死的放送なのだ。きょうの実況担当は、おなじみの天野司郎アナだ」

テーマ曲〝炎のファイター〟

「まず、登場人物を紹介しよう。市長、教育長、建築課長、警察署長、校長、土建会社社長と下請《したう》け会社社長数十人。この連中がなんのために集まるのかって？　それは、実況を聞いてもらえばわかる。ではこれから、われわれの想像を絶する、悪と謀略のワンダーランドへ諸君を案内しよう」

堀場千吉は、市長の岩切栄策《えいさく》を案内して大広間に入った。拍手がいっせいに起こった。

「ずいぶん集まったじゃないか？」

岩切は満足そうにつぶやいた。

「私の予想では五十人と踏んでいましたが、ざっと百人はいます」

大広間は、その熱気で冷房も効《き》かず、むんむんしていた。

「ええみなさん、本日はこの暑さにもかかわらず、かくも多数ご参集いただきまして、私、心より感激しております」

千吉は、ちらと岩切の方を見た。岩切は大きくうなずいた。

「さて、みなさんに最初にご報告しておきたいのですが、さきほどサンライズホテルで話し合いが行なわれた結果、あすの入札にはわが社が落札することに決定しました」

激しい拍手が大広間に充満した。

「これもひとえに、市長をはじめ、市会議員、建築課長、教育長のご尽力の賜物《たまもの》であります。ここで一同になりかわって、あらためてお礼申し上げます」

堀場は一同に起立を命じ、それから市長に向かって、「ありがとうございました」と全員で頭を下げた。

「ちょっと待ってくれたまえ。私が尽力したなどと言ってもらっては困る。これは、あくまでも堀場建設の実力が、こういう結果をもたらしたのだ」

「市長さん、ここはみんな身内じゃけん、建前《たてまえ》は言わんとよかたい。無礼講でいきまっしょ」

九州出身の業者が言うと、「そうだ、そうだ」という声が湧《わ》き上がった。

「では、こんやは無礼講でゆくとして、みなさんが酔っぱらわない前に、ぜひお話ししておきたいことがあります」

堀場は、静かにするよう手で制してから言った。

「言わんでもわかっとる」

「われわれは、大恩ある市長に、何かお返しをしなければならないのですが、リベートということになると、出した方も受け取った方もこれです」

堀場は、警察署長の倉井《くらい》の方を向いて、左右の拳《こぶし》をかさね、しばられるしぐさをした。倉井は、それを見てうなずいてみせた。

「したがって、われわれのできることといえば、来たるべき市長選挙のお手つだいということになります。どうです、みなさん。やっていただけますか？」

千吉は、一同の顔を見わたした。

「わかった」「まかしとけ」という声がいっせいに湧き起こった。

「みなさん、こんどもぜひ私を市長に出させてください」

岩切は、顔を真っ赤にして言うと、何度も頭を下げた。

「そこで、単刀直入にいきましょう。何票引き受けていただけますかな？」

千吉は、みんなの顔を眺《なが》めまわした。

「私は五十票」

「二ケタはだめだ。三ケタにしろ」

「じゃ百票」

「だめだ。二百票にしろ」

「よし、二百票引き受けた」

酒がまわってきたせいか、だんだん景気がよくなった。

「市長、選挙のことはまかせとけ」

だれかがどなった。

「ちょっとお待ちください」

教育長で、岩切の選挙参謀でもある中川が、沸騰《ふっとう》する湯に水をさすように言った。

「こんどの選挙は、前回のように楽勝とはいかないのです」

「そんなことはないでしょう」

だれかが言った。

「前田《まえだ》一雄《かずお》が急速に力をつけているからです」

「前田って、あの赤野郎のことですか……？」

「前田そのものは大したことないのですが、彼をバックアップしている市民グループが問題です」

「過激派ですか？」

千吉が聞いた。

「過激派の方が扱いやすいんですが、連中は女です。しかも、煮ても焼いても食えない中年のおばんときてるから厄介《やっかい》なのです」

「有権者の半分は女ですからねぇ」

岩切は、肩で大きく息をした。

「前田って野郎が、また女にもてるんですよ。私らから見ると、べたべたしたいやな奴なんですが、物腰と言葉がやわらかいから、中年のおばんはすぐ参っちまうんです」

千吉はうなりながら、あらためて岩切の顔を見た。脂《あぶら》ぎって精力的で、助平を絵に描いたような顔だ。これでは、どう見ても女にはもてそうにない。

「連中のつくっている組織は、S市を金権から守る連合会というんですが、草の根運動と称して、女を一本釣りして会員にしているのです」

「すると、連中が手弁当で前田の選挙運動をしているわけですか?」

「そうです。だからこっちもうかうかしておれないのです」

岩切は、同情をひくためか肩をすぼめた。

「市長さん、あんたにはわしらがついとるんじゃ。女なんかに負けてたまるか。金がいるなら、いくらでも集めようじゃないか」

千吉は大見得《みえ》を切った。

「そうだ、そうだ。選挙のことはおれたちにまかして、大船に乗った気持ちでいろや」

「市長、一杯」

岩切は、無理矢理車座の中に引きすえられ、四方八方からコップ酒を突きつけられた。その一つを取って、一気にあおった。

「お見事。もう一杯」

別の手が、またなみなみと注がれたグラスを差し出した。

「これでもうご勘弁《かんべん》を」

「お、市長さん。私のは受けられねえんですかい」

からまれて、岩切はまた一杯を空《から》にした。もともと酒は嫌《きら》いな方ではない。岩切は、すすめられるままにグラスを重ねるうちに、次第に上機嫌になってきた。

「おい中川、カラオケだ。カラオケ」

岩切は、中川にどなった。

「待ってました」

いっせいに拍手が起こった。岩切は、足もともおぼつかなく正面に進み出た。だれかがマイクをにぎらせた。

「では、八代亜紀の舟唄を一つ」

〽お酒はぬるめの　燗《かん》がいい

すると、だれかが復唱した。

〽お金は多めの　方がいい

岩切は歌にすっかり陶酔している。音程はときどき狂うのだが、そんなことは全然わかっていないらしい。一度にぎったマイクを離そうとしない。

「榎本さん」

教育長の中川は、市長をしらけた目で見ながら、榎本に話しかけた。

「なんでしょうか」

榎本は、場ちがいのところに迷いこんだという感じで、さっきから硬くなって酒も口にしない。中川は銚子《ちょうし》を差し出した。それを一息にあけてから、中川に返した。

「来年ですか？」

「はい。その節はよろしくおねがいします」

榎本は畳に頭をすりつけた。

「頼みますよ」

脇《わき》から千吉が口添えした。

「堀場さんの頼みだからなんとかしますが、おたくの生徒たちの解放区、あれはいけませんな」

「それをおっしゃられると、穴があったら入りたい心境でございます」

榎本は、額の汗をハンカチで拭《ぬぐ》った。

「いままで、うまくいっていたのに、どうしたんですか？」

「はい。私もそれで油断しておりました」

「理由はなんですか？」

「だれかが煽動《せんどう》しているものと思われます」

「だれかとは、おとなですか？」

「はい」

「それは問題ですな。いつまで放っておかれるんですか？」

「警察、教育委員会、ＰＴＡとも相談しましたが、あすにでもと考えております」

「それはいいでしょう。ただし、榎本さんが矢面には立たないでくださいよ。あんまり派手にマスコミからぶったたかれたりすると、推せんしにくくなりますからね」

「それは十分心します。ご配慮ありがとうございます」

女将《おかみ》がやってきて、中川に「お電話です」と言った。中川は、出て行ったかと思うと、すぐに顔をひきつらせて帰ってきた。

「何かあったんですか？」

千吉の問いかけを無視して、まだマイクを離さない、岩切のところに駈《か》け寄った。

「市長、歌は中止してください」

言うなりマイクをもぎ取った。

「何をするか！」

岩切は、中川を突き飛ばした。岩切は大男で、中川は細身である。一突きで、その場に尻餅《しりもち》をついた。

「歌ってはいけません」

中川は、立ち上がると岩切の口を手で押さえた。

「君は、気でも狂ったのか？」

岩切は、ますます逆上した。

「盗聴されているのです」

「なんだって？」

「この部屋のどこかに盗聴器がセットされていて、われわれの喋《しゃべ》った一部始終が、家庭のラジオから放送されているのです」

「そんなばかなことが、あってたまるか！」

岩切はどなった。千吉も同じ思いであった。

「いま、奥さまから電話がありまして、市民とマスコミから、電話がじゃんじゃんかかっているそうです」

「わしの家に？」

「奥さまは、何がなんだかわからないけれど、ショックで心臓が止まりそうだと言っておられます」

「すると、わしの舟唄も聞かれたのか？」

「もちろんです」

「そうか。わしの歌がはじめて電波に乗ったか……」

「何を言っておられます。もうすぐマスコミがここにやってきますよ」

「それはえらいこっちゃ。すぐに解散しよう」

岩切はもう浮き足だっている。

「その前に盗聴器を捜さなくては……」

千吉は、指を唇にあてた。急に部屋がしんとなった。全員が大広間に散って、天井、壁、花《か》瓶《びん》、机の下と捜した。しかし盗聴器は見つからない。

「これは陰謀だ。法律違反だ。そうでしょう？　署長」

千吉が言うと、署長はうなずくと同時に、

「私は署にもどらなくては……」

と言いながら、逃げるように大広間から出て行った。

「市長、とにかく市民に何か話してください。このまま放っておくわけにはまいりません」

中川が、すがるような目で岩切を見た。岩切は大きくうなずいてから、

「この放送をお聞きの市民のみなさん。私は市長の岩切栄策です。今宵《こよい》は、私を励ますために、同志の諸君が集まってくれた内輪の宴会です。けっしてやましいものではありません。みなさんだって、家に帰れば、会社の上司とか社長の悪口を言うことはあると思います。それを社長がひそかに盗聴して、お前はけしからんと言うでしょうか……。いかに選挙に勝ちたいからといっても、戦いにはルールというものがあります。こういうアンフェアな手段で、私のイメージダウンをはかるような人物を、私は断じて許すことができません。もしこういう人物を市長に選ぶなら、市民のみなさんのプライバシーもどうなるかわかりません」

さすが、海千山千である。見事に、マイナスをプラスに逆転してしまった。

そのとき、下請け業者が数人で、部屋に男を引きずりこんできた。

「どうしたんだ？」

「いま、電話のたれ込みがありまして、離れで男が盗聴しているというんです。そこで行ってみたら、こいつがいたんです。しぶとい野郎で、おとなしく言っても口を割らないもんですから、少しばかり痛めつけてやりました」

男の顔はふくれあがり、畳の上にながながと伸びている。榎本が近づいて男の顔をのぞきこんだ。

「君は……」

そう言ったまま絶句した。

「校長さん、ご存知の男ですか？」

「はい。うちの学校の体育の教師で、酒井と言います」

「なんだって……？」

中川は目をむいた。

「酒井君、君だけは信用していたのに、どうして盗聴なんてことをやったのだ？」

「なんのことか、私にはさっぱりわかりません」

酒井は、顔をしかめながら言った。

「それなら聞くが、君は離れでいったい何をしていたんだ？」

「それは……」息を呑《の》んでから「ある人と待ち合わせしたんです」

「それは女性か？」

「はい」

酒井は顔を伏せた。

「女なんかいませんでしたよ」

酒井を引きずってきた男が言った。

「まだ、来ていないんです」

「何時に待ち合わせたのだ？」

「六時です」

「もう七時半過ぎだぞ」

「こいつの言ってることはでたらめですよ。もっと痛めつけて泥を吐《は》かせましょう」

だれかが、酒井の脇腹《わきばら》を蹴《け》った。酒井は「うッ」とからだを二つに折った。

「市長、テレビがやってきました。新聞記者もです」

中川が言うと同時に、教育長と榎本はこそこそと廊下に逃げ出した。

「どうする？」

岩切は、救いを求めるように千吉の顔を見た。

「こうなったら開き直るしかないでしょう」

千吉は、グラスに酒をなみなみと注いで岩切にわたした。岩切はそれを一気にあけて部屋を出て行った。

玄関脇の応接間は、テレビのライトがつけられて、昼間のように明るくなっている。やがて、岩切の声が聞こえてきた。

「諸君、これはファシズムだ。あなた方マスコミは、盗聴という卑劣な手段を弄《ろう》して政敵を倒そうとする、こういう行為を絶対糺弾《きゅうだん》すべきではないか。私は怒っている。怒っている。怒っているぞ」

最後は悲鳴になっていた。

「こちら解放区。チミモウリョウの異次元空間からの実況放送。おもしろかっただろう？　ではこれから、河川敷の花火大会に行ってくれたまえ。そこには、解放区からのメッセージが待っている。急げ」

5

午後七時四十分。

アパートのドアーをノックしている。西脇由布子は、一瞬息が止まった。もし、酒井だったらどうしようと思った。

「どなた？」

声がかすれた。

「私たちでーす」

生徒たちの声だ。とたんに肩が軽くなった。ドアーをあけると、橋口純子、堀場久美子、中山ひとみの三人が立っていた。

「あなたたちだったの。さあ、どうぞ」

「もう行かなくちゃ……」

純子が言った。

「そうだったわね」

由布子は、三人についてアパートを出た。

「酒井先生のことですけど……」

先を歩いていたひとみが、うしろをふりむいて言った。

「谷本君に言ったら、まかしとけと言ったきり音沙汰《おとさた》なしじゃない。あなたたちがノックしたとき、酒井先生だったらどうしようかと思って、ぎょっとなったわよ」

「もう大丈夫です。先生に手出しはしませんから」

「どうして？」

「こらしめてやったのです」

「こらしめたって、何をしたのよ」

「足腰立たなくなるまで、こてんぱんに焼き入れてやったのさ」

久美子が言うと、どことなく凄《すご》みがある。

「あなたたちが？」

「あたしたちができるわけないよ。うちの元気のいい連中だよ」

「あなた、暴力はいけないわ」

「別にあたしたちが頼んだわけじゃないんだけど、行きがかりでそういうことになっちゃったのさ」

三人は、顔を見合わせてにやにやしている。

「どういうことなのかおしえて」

「じゃ、あたしが説明します」

ひとみが、ことのいきさつを説明した。

「へえ……。でもそんなことしたら、あなたたちがやったことばれちゃうじゃない？」

「ばれてもいいんです」

「盗聴器はどうした？」

「まだ、おやじのポケットに入ってるよ。みんな、必死で探してるってさ」

久美子が言った。

由布子は、思わず笑いがこみ上げてきた。

「あなたたちったら……」あとは言葉にならない。

「でも、もし盗聴してたのがお父さんだとわかったら、いちばん困るのは、あなたのお父さんじゃない？」

「おやじをやっつけるためにやってるんだもん」

久美子は、憎々《にくにく》しげな目を夜空に向けた。

「あなた、そんなにお父さんが憎いの？」

「憎いよ。あんな奴、セン公よりもっと憎い。これで会社がつぶれちゃえばちょうどいいんだ」

「そう……」

「盗聴した本人が、おやじだとわかったらどんな顔するかなあ。ほんとのこと言ってやりたいよ」

久美子は乾《かわ》いた声で笑った。

腹に響くような音がつづけざまにした。次の瞬間、頭の真上で華麗な花が開いた。

「はじまったよ、先生」

久美子が興奮した声で言った。ついいましがたの暗い表情は、うそのように消えている。四人の足が自然に早くなった。

堤防に出ると、河原が一望のもとに見下ろせた。よく見ると、いい場所は人で埋めつくされている。

昼間の暑さとは、うって変った涼《すず》しい風が頬《ほお》を撫《な》でる。久美子が、いつ買ってきたのかソフトクリームを由布子にわたしてくれた。

四人とも駈けおりるようにして河原におりた。

「先生、もう少し向こうへ行こう」

久美子に引っ張られるようにして、草の上を歩く。花火は大小とりまぜて、ひっきりなしに打ち上げられる。

「どこか、その辺で腰おろさない?」

由布子が言うと、純子がビニールの風呂敷《ふろしき》を敷いてくれた。

「ここに座って」

由布子につづいて、三人が腰をおろした。

「先生、あっち見て」

久美子は、堤防の一角を指さした。黒々とつづく塀《へい》と建物が見えた。

「あそこが解放区じゃん」

「あれがそう……」

いつも正門の側からしか見ていないので、言われなければ全然わからない。由布子は黒いシルエットに目を凝《こ》らした。あの中に、二十人の生徒たちがいるのだ。

「もしもし、こちらナンバー35。どうぞ」

「こちらナンバー1、どうぞ」

耳のそばで声がしたので、ふり向いて見ると、久美子がトランシーバーで話している。

「だれと話してるの?」

「解放区の相原君」

久美子は、ふたたびトランシーバーで話しはじめた。

「計画はトラ・トラ・トラ。トドは、KOされて、まだひとみんちでのびてるよ」

「そうか、じゃあ、西脇先生はもう心配ないな?」

「先生ここにいるから代わるよ」

由布子はトランシーバーを受け取った。

「どうもありがとう。おかげで助かったわ」

「どういたしまして。ほんのお礼さ」

由布子は、胸がきゅっとつまって、次の言葉が出てこなくなった。

「先生、あと五分ではじめるからね。屋上から目を離しちゃだめだよ」

「わかったわ」

「じゃ、これで切るぜ」

由布子は、トランシーバーを久美子に返した。

スターマインだ。激しい音が連続的にして、空も河原も一度に明るく輝いた。すばらしい火の洪水《こうずい》だ。由布子は、何もかも忘れてそれに見とれた。

花火の命はつかの間である。激しく燃え尽《つ》きたあとの、一瞬の静寂と闇《やみ》が河原に訪れた。

と、それを待っていたように、

「こちらは解放区。いまからメッセージを送ります」

と屋上のスピーカーから声が流れた。河原の人たちの視線が、いっせいに音のした方に向けられた。

屋上に、火と煙があがった。何か、文字のようなものが浮き上がってきた。と見る間に、

解放区より
愛をこめて

真っ赤な文字が、夜空にくっきりと浮かび上がった。由布子は、感動で息がつまりそうになった。これが、彼らたちから自分へのメッセージなのか……。いつまでも消えないで。

しかし、文字は見る間に燃え尽き、ふたたび、もとの夜空にもどった。こんなに強烈で、こんなにはかないものが、ほかにあるだろうか。

「一生忘れないわよ」

由布子は声に出して言ったのだが、いっせいに湧《わ》き起こった拍手と喚声が、その声をかき消した。

「やった。やった」

久美子と純子とひとみは、手を取り合い、狂喜乱舞している。

また花火が上がって、三人の顔を赤く染めた。

由布子にも、こんな時代がたしかにあった。それはいつだったろう。ついこの間のような気もするのに、もう手の届かないところに去ってしまった。懐かしさで、胸が切なくなってきた。

踊っている三人の姿がにじんで、やがて見えなくなった。


背中から、コンクリートのあたたかさが伝わってくる。英治は横を見た。相原がいる。その向こうに安永もいる。全員が同じように寝ころんで、空を見上げている。

「あんなに苦労してつくったのに、あっという間に消えちゃったな」

日比野が、気の抜けたような声で言った。

「それが花火ってもんさ」

立石がさめた声で言った。

花火がつづけざまに上がって、頭の上でいくつも花を咲かせた。

「みなさん、それでは私はこれで失礼させていただきます。ほんとうに、いろいろありがとうございました。このご恩は生涯《しょうがい》忘れません」

闇《やみ》の中で、田中の声がした。

「おっさん、元気でな」

柿沼が言った。

「みなさんも……」

田中は声がつまったのか、それきり声はしなくなった。

みんなも黙って花火を眺《なが》めていた。

やがて、花火は次第に間遠になり、ぱたりと止《や》んだ。

「こんやが最後の夜だな」

相原が、ぽつりと言った。

「楽しかったぜ」

安永が、しみじみとした声で言った。

「おれも……」

宇野の声は底抜けに明るい。

「おれは、まだそこまで行かねえや」

柿沼は、欲求不満気味だ。

それまで気づかなかった星が、はっきり見え出した。

「あの星にくらべたら、人間の一生なんて花火みたいなもんだな」

小黒は、死んだおやじのことでも思い出したのだろうか。英治は、何か言おうと思ったけれど言葉が見つからない。

「あ、流れ星だ」

英治は、つい大きい声になった。

「どこに？」

みんなが騒ぎはじめたときには、もう星は消えていた。

七日　撤退

1

午前五時。

最後の夜だと思うと、みんな寝つかれないらしく、真っ暗な中で、いつ果てるともないお喋《しゃべ》りがつづいた。

おかげでけさは、みんな腫《は》れぼったい目をして起きてきた。

英治は、まだ半分眠ったまま、ふらつく足取りで屋上にのぼった。手摺《てすり》に両腕をかけて河原を見下ろした。

涼しい風。Tシャツ一枚だと、腕に鳥肌が立ってきそうになる。思いきり息を吸いこんだ。

朝の陽光が川面にあたって、きらきらと輝いている。いつもは交通量の多いN橋も、早朝のせいか車の数は少ない。

きのうの夜、あんなに人で埋めつくされた河原は、いまひっそりと静まりかえっている。犬をつれて散歩している人と、ジョギングしている人の二つだけしか人影はない。

そばに相原がやってきた。相原も、英治と並んで同じように河原に目をやっている。

「あッという間に過ぎちゃったな」

「うん」

相原は、遠くに目をやったままうなずいた。

「まだちょっとやり足りねえ気もするけど、でもおもしろかったぜ」

「うん」

何か、ほかのことに気を取られているみたいな、そっけない返事だ。

「お前、何を考えてるんだ？　攻めて来るポリ公のことか。それとも、その先のことか？」

「ちがうよ」

「じゃ、なんだ？」

「安田講堂の最後の日、おれのおやじとおふくろは、何を考えてたのかなと思ってたんだ」

「そんなこと考えてたのか……」

英治は、この一週間で相原のことをあらためて見直した。相原は、ガリ勉ではないけれど、頭もいいし行動力もある。それに、考えていることが、英治なんかよりはるかに深いのだ。これで同じ年齢《とし》とはとても思えない。

「安田講堂では、みんな降参したけれど、おれたちは、そうじゃねえもんな」

「ここへ攻めこんできたポリ公は、おれたちが消えちゃってるんでおどろくぜ」

相原と顔を見合わせると、どちらからともなく笑いがこみ上げてくる。

「おれたちがここを引き揚げるのは、ゲリラで言えば戦略なんだからな」

これは、瀬川が言った言葉だ。

「おれ、どう考えても不思議なんだけど、みんながどうして、いっしょにやる気になったのかな」

「そうだよな。はじめはいいとしても、こんな生活してたら、二、三日したら文句が出るのが当り前だと思うんだ。それが全然出なかったもんな」

相原は、河原に目をやりながら言った。

「文句言わないどころか、いまではみんな固く団結してるぜ」

「やっぱり、やってよかったな」

「そうさ」

遠くに人影が二つ見えた。こちらに向かって手を振っている。英治もそれにこたえた。相原は、トランシーバーをオンにした。

「こちら相原と菊地だ。どうぞ」

「こちらは橋口と堀場。きのうはすばらしかったわね。あたし興奮しちゃって、夜いつまでたっても眠れなかったわよ」

「おれたちだってそうさ。西脇先生喜んでたか？」

「喜んでたわよ。感激して泣いてたわ」

とたんに、英治はぐっときた。

「そうか……。堀場んちのおやじ、どうだった？」

「おやじが、あんなにメロメロになったのはじめて見たよ。いい気味だったなあ」

「盗聴器、ばれなかったか？」

「無事回収さ。もし自分が盗聴犯人だってわかったら、気が狂ったかもね。そうしてやればよかった」

「盗聴器が見つかりゃ、お前が入れたことすぐわかっちゃうじゃんか」

「実は、娘が犯人だったなんて……」

「半殺しにされるぜ」

「それはいいんだけど、ひとみが疑われてんのよ」

久美子は声を落とした。

「どうして？」

「だって、放送したじゃん。そうすれば、あたしたちのだれかが盗聴器をセットしたことくらい、ばかでもわかるよ」

「そうか。ひとみは〝玉すだれ〟の娘だからな……。そいつはヤバイことになったな」

相原は英治の顔を見た。

「でも心配することはないよ。きのう、あれだけ探しても盗聴器は見つからなかったんだから……。それに、いまは犯人探しどころじゃないよ」

「頭にきてるか？」

「頭にきてるなんてもんじゃないよ。九時になったら、セン公と親たちがそこに行くよ」

「何しに来るんだ？」

「最後通牒《つうちょう》を手わたすんだって」

「言うことを聞かなければ攻撃か？」

「そうよ」

久美子と純子が緊張した声で言った。

「時間は？」

「攻撃開始は十時」

「いよいよか。テレビにおしえてやってくれよ」

「わかったよ。そこで血を見るまで戦うつもり？」

「テレビにはそう言っといてくれよ。おれたちは、解放区で玉砕するって」

「本気じゃないよね？」

純子の声が変った。

「ジョークにきまってるだろう。だれが、そんなドジをやるかってんだ。十時十分になったら、児童公園で待っていてくれよ」

「そうかあ。そういうことだったの。いいよ、女子全員で待ってるよ。それからどうするの？」

「川へ行って、向こう岸から見物するのさ」

「すてきィ」

「そのとき、食い物を持ってきてくれよ。おれたち、ろくなもの食ってねえんだ」

「うん。いっぱい持っていってあげる」

「じゃあ、解放区より愛をこめて。バイバイ」

「バイバイ」

久美子の声がはずんでいた。

屋上からおりると、英治と相原のまわりにみんなが集まってきた。やはり、最後が近づいてきたので、どの顔も緊張している。

「まず、九時にセン公と親たちがやってくる」

「何しにくるんだ？」

「降参して、おとなしく出てこいって言いにくるのさ」

「呆《あき》れたもんだぜ。まだおれたちがそんなこと聞くと、思ってんのかな」

安永は、グリコした。

「それを断わると、十時に、いよいよポリ公が攻めてくる」

宇野が、目を見開いて、つばを飲みこんだ。

「それからは打ち合わせどおりだ」

「おれたちがいると思って、突っ込んできたらだれもいねえ。こいつは絶対おどろくぜ。天野、実況放送は超過激にやってくれよ」

日比野が言った。

「おぉぉっと、子どもたちがおりません。これはいったい、どうしたことでありましょうか。どこを捜しても猫の子一匹見あたりません。さっきまでは、たしかにおりました。まわりは警官で固めて、逃げ出すことは絶対不可能であります。ところが、子どもはいないのです。大都会のブラックホールは、子どもたちを呑《の》みこんだのでしょうか。それとも、アインシュタインの相対性理論、異次元空間にタイムスリップしたのか。こんな不思議なことが、かつて地球上で起きたことがあるでしょうか？　まさに、空前絶後のアクシデントが起こったのであります。これを神隠しと言ったらいいか、この超常現象を説明する言葉を私は持ち合わせておりません。しかし、これは紛《まぎ》れもない事実なのであります。子どもたちは消えた。子どもたちはどこへ行ったのだ？　子どもたちよ帰ってこい」

しばらく拍手が鳴りやまなかった。

「台本がないから、まあこんなところだ」

天野は、まだ不満そうな顔をしている。

瀬川がふらりとやってきた。

「君たちとも、きょうでお別れだな」

「おじいさん、これからどうするの？」

英治は、瀬川が急に老《ふ》けこんだように見えて、それが気になった。

「さあ、どうするかまだ決めておらん」

「家に帰ったら？」

瀬川は、遠くに目をやったまま返事をしなかった。

「おれ、一度謝まろうと思ってたんだ。勘弁してくれよな」

安永が、照れくさそうに頭を下げた。

「なんのことだ？」

瀬川は、おだやかな顔で安永を見つめた。

「最初のとき、ひどいこと言っちゃったじゃんか」

「ああ、あのことか。人間は年をとると、だれでも汚《きたな》くなって邪魔ものになる。これはしかたないことだ。気にしとりゃせんよ」

「そう思ってたんだけど、見直したんだ」

「少しは役に立ったか？」

「うん。ずいぶん助けてもらったもんな」

「お前はいい奴だ」

瀬川は、安永の肩に手を置いた。

「おれ、そんなこと言われたの生まれてはじめてだぜ」

「わしの言うことにまちがいはない」

「それは信じてもいいと思うぜ。なんてったって、戦争で生き残ったんだもんな」

日比野が言った。

「戦争には、どんなことがあっても行くなよ」

「行かないよ。死にたかないもん」

「わしも長いこと生きたが、君たちと過ごしたこの一週間ほど、楽しいときはなかった」

「ほんと？」

「君たちみたいな子どもに会えて、わしは幸せだと思っとる。もう思い残すことはない」

「おれたちだって、そう思ってるよ。なあ」

英治は、みんなに向かって言った。

「そうだぜ」

安永が真っ先にうなずいた。

「嬉《うれ》しいことを言ってくれるじゃないか。そんな言葉を聞いたのはいつのことだったか思い出せん」

「おじいさん、長生きしてくれよ。また力を借りることがあるかもしれねえから」

「よし、よし。そのときはいつでも呼んでくれ」

瀬川は目を細めて、みんなの顔をなめるように見ていった。

2

午前八時五十分。

「もしもし、こちらナンバー35、どうぞ」

「こちらナンバー1、どうぞ」

「いま、セン公と親がそちらへ出かけたよ。あと十分で到着するからね。どうぞ」

「了解、了解」

「では、健闘を祈ります」

午前九時。

「きたぞォ」

見張り台の日比野がどなった。その声で、十人は二階に、あとの十人は、正門の内側に築いたバリケードにのぼった。

英治は、非常階段を二階に駈《か》け上り、窓から首を出した。

教頭の丹羽を先頭に、生活指導主任の野沢、担任の八代の姿が見えたが、校長と体育の酒井がいない。おそらく、きのうのショックで出てこられないにちがいない。

そのあとに、母親たちが何十人も、金魚のうんこみたいについてくる。

「日比野、〝炎のファイター〟を流せ」

相原が言った。日比野は、うなずいてテープレコーダーのスイッチを入れた。とたんに、正門脇にセットしたスピーカーから、〝炎のファイター〟が流れ出した。

すると不思議なことに、それまで葬式の行列みたいに、しょんぼり歩いていた集団が、プロレス会場に入ってくる維新軍団に変質した。さすがに〝炎のファイター〟である。

「こいつはヤバイぜ。曲を止めた方がいい」

相原が言うと同時に、曲は止まった。

おとなたちは、正門の前にかたまった。

「諸君」

と丹羽が、ハンドマイクで語りかけた。

「校長はどうした？」

宇野が言った。この一週間で、いちばん変ったのは宇野かもしれない。それまでのひ弱さはすっかり消えて、見ちがえるようにたくましくなった。

「校長先生は都合があって、きょうはこられない」

「うそをつくな。きのうのことが恥ずかしくて、顔が出せねえんだろう」

みんなが拍手した。

「君たちは、ああいうことをしていいと思ってるのか？」

丹羽は、かなり興奮している。

「それじゃ聞くけど、市長とか校長は、ああいう会合に出てもいいのか？」

ハンドマイクをにぎったまま、丹羽が絶句した。

「どうした？　早く答えろよ」

宇野は鋭く迫る。

「それとこれとは別問題だ。君たちは、まだ子どもだぞ」

「子どもだっておとなだって、わるいことはわるい。そうじゃねえのか？」

「それはそうだが……」

「どうして、子どもだけマジにしてなきゃいけねえんだ？　理由を言ってみろよ。理由を」

「すげえなあ、あいつ」

相原は、英治の耳に囁《ささや》いた。

宇野の母親千佳子が、見かねたように、丹羽のハンドマイクをもぎとった。

「秀ちゃん、あなた、教頭先生に対してなんてことを言うの？　あなたはそんな子じゃなかったわ。どうかしちゃったのね」

「悪魔がとりついたんだよ。あんたを食っちまうかもしれねえぜ」

千佳子は、「きゃッ」と言ったかと思うと、うしろに倒れかかった。それを父親の秀介が受けとめた。

「秀明、いい加減にしろ」

「ジョークもわかんない女にしたのは、夫の責任だぜ」

「黙れ！　親に対してその口の利《き》きようはなんだ！」

「口の利きようをおしえたことがあるのかよう。明けても暮れても、会社、会社、会社。おれと、まともに口利いたことなんてねえじゃんか」

「パパは、お前を幸せにするために働いてるんだ。それがわからんのか」

秀介は、興奮のためか舌がうまくまわらないようだ。

「おれたちは、いまちっとも幸せじゃねえぜ」

「いまは、親や先生の言うことを聞いて、いっしょうけんめい勉強する。そうすればきっと幸せになれる」

「見てきたようなこと言っちゃって。そんなこと、だれも信用してねえよ」

「うそだ。そんなことはないッ」

秀介は絶叫した。

「信じたければ、信じてりゃいいだろう。そのかわり、あとでこんなはずじゃなかったって、文句言うなよ」

「もういい。お前みたいな者は子どもとは思わん」

「ところが、そうはいかねえんだな。あんた、児童福祉法《ふくしほう》ってのを知ってるかい？」

「親に向かって、あんたとはなんだ」

「おこってごまかそうったってだめさ。児童福祉法の一条にこう書いてあるんだ。すべて児童は、ひとしくその生活を保障され、愛護されなければならない。どう？　愛護ってのは、かわいがって、かばい守ることだぜ」

「そうだ、そうだ」

みんなが、いっせいに喚声をあげた。

「ついでにもう一つ。第二条にはこう書いてあるんだ。国及び地方公共団体は、児童の保護者とともに、児童を心身ともに健《すこ》やかに育成する責任を負う。これじゃ、おれを捨てられっこないぜ。お気の毒さま」

秀介は、処置なしといったしぐさで、マイクを野沢にわたした。

「君たちはそこに立てこもって、やりたい放題のことをしてきた。われわれは、何度やめろと言ったかしれない。しかし、君たちは、いっこうに言うことを聞こうとしなかった。君たちが、まだ子どもであるという理由で、これまで我慢してきたが、それも限界に達した。もし、君たちがいますぐここから出てこないならば、一時間後に強制的に排除することになる」

「子どもの城に、おとながなぐり込みをかけるっていうのか？　上等だ。受けて立とうじゃねえか」

安永がタンカをきった。

「君たちが、おとなに勝てるわけはない。これだけやればもういいだろう。おとなしく出てきたまえ。いまなら、君たちの罰も軽くてすむ」

「言うことはそれだけかい？」

「そうだ」

「じゃあ、帰ってもらいましょう」

相原が言ったとき、角《かど》を曲がってくるテレビ中継車が見えた。

「テレビがきたぞ」

英治は、相原に耳うちした。

父っちゃん坊やの矢場勇が、マイクを手にして、停《と》まった中継車から出てきた。子どもたちが、それを見て拍手した。

「やあ、君たちこんにちは」

「こんにちは」

みんなが口をそろえて言うと、矢場は、すっかり上機嫌《じょうきげん》になった。

「みんな、元気がいいな」

「あったりまえさ。そっちに元気のわるい顔が並んでるから、撮《うつ》してやりなよ」

また、宇野が言った。

「子どもたちは、どうしてこんなに威勢がいいんですか？」

矢場は、マイクを丹羽に向けた。

「われわれが何もできないと思って、たかをくっているのです」

丹羽は、憮然《ぶぜん》として言った。

「では、説得は失敗したわけですね？」

「全然、聞く耳を持たないんです。全員が狂気の集団と化してしまったのです」

「これからどうしますか？」

「このまま放置しておくわけにはいかないでしょう」

丹羽の声が小さくなった。

「警官を導入するんですね？」

「そういうことになります」

「父兄の方は、それで納得しているんですか？」

矢場は、マイクを宇野の父親秀介に向けた。

「いたしかたありません」

秀介は、天を仰いで言った。矢場は、次にマイクを英治の母親詩乃に向けた。

「警官の導入は絶対反対です。あの子たちは、まだ中学一年生ですわよ。むかしの安田講堂とはわけがちがいます」

「遊びだとおっしゃりたいんですか？」

「そうですわ。子どもたちがいったい何をしたっていうんですの？」

「何をしたじゃありませんよ。校長先生は、ショックで血圧が上がって、寝こんでしまわれました」

野沢が、顔を真っ赤にして言った。

「それは自業自得というものですわ。大体、マスコミでも、子どもがわるいと言いますけれど、非行少年は全体の一割にもなりませんわ。それにくらべて、お坊さんはどうですか、九割が脱税しているというじゃありませんか。一割と九割ですよ。子どもに文句言う前に、どうしてお坊さんに文句言わないんですか？」

「おっしゃるとおりです。ほんとうにけしからん。こんどは必ず坊主をぶっ叩きます」

矢場は、詩乃にすっかり乗せられた。

「いいぞ、いいぞ」

解放区の内と外で、子どもたちが喚声をあげた。

「あの連中は、もう普通の子どもではありません。ある日、正常な細胞が突然ガン細胞に変るみたいに、変ってしまったのです。すぐに切り取って処置しなければ手おくれになります」

「あなたは、お父さんですか？」

「そうです」

「ご職業は？」

秀介は答えた。

「サラリーマンです」

「じゃ、会社を休んでこられたんですか？」

「私はこれまで、プライベートなことで会社を休んだことは一度もありません。休んだのはきょうがはじめてです」

「なぜ、休んでまでいらっしゃったのですか？」

「この目で、子どもたちの実態をたしかめ、説得しようと思ったからです。しかし、だめでした」

秀介は、がっくりと肩を落とした。

「失礼ですが、あなたは学生運動をしたことありますか？」

「あります」

「当時をふりかえって、どう考えていらっしゃいますか？」

「あれは一時の幻想でした。白昼夢みたいなものです」

「いま、お子さんが解放区をつくったことに、どんな感想をお持ちですか？」

「はっきり言って、ショックでした。ガンの宣告を受けたのと同じくらい」

秀介は、水をかぶったみたいに汗だらけになっていた。

「ガン細胞はひどいわ」

詩乃が言った。

「警官導入については、もう何日も父兄の方とお話し合いをしました。その結果、本日の午前九時をタイムリミットとしたのです」

矢場は、マイクを丹羽から解放区に向けた。

「君たちは、どうしてもそこから出てこないつもりか？」

子どもたちは答えず、かわりに、二階の窓から垂れ幕がするするとおりてきた。

我々は玉砕の道を選んだのではない。

我々のあとに必ず我々以上の勇気ある若者が、解放区において、全日本全世界で怒濤《どとう》進撃を開始するであろうことを固く信じているからこそ、この道を選んだのだ。

矢場は、垂れ幕の文字を、声を出して読んだ。

「みなさん、この言葉は、かつて安田講堂の壁に書き残されていた落書きです。あれから十五年、いまノンセクト・ラジカルの亡霊が甦《よみがえ》ったのです。どうやら、彼らはここ解放区を死守するつもりのようです。その結果がどうなるか、それは予測がつきませんが、おそらく、目を蔽《おお》う惨状を呈するのではないかと思われます。攻撃開始時刻は十時。そのときは刻々と迫りつつあります。みなさん、どうか十時まで、テレビを切らずにお待ちください」

子どもたちの間から拍手が起こった。

3

午前九時三十分。

「みんな、そこへ座って聞いてくれねえか」

相原のまわりに、全員が輪になっていたが、その言葉で、みんな広場に腰をおろした。アスファルトが灼《や》けて、尻《しり》が熱かった。

「あと三十分で、ポリ公が攻めてくる」

太陽に向けた相原の顔に、汗の玉が浮いている。英治は、頬《ほお》が勝手にふるえ出した。

「もちろん、おれたちはポリ公とまともに戦うほどばかじゃない」

英治はうなずいた。

「そこで、五人だけここに残って、残りはいまからここを出てもらう」

「おれ、残らしてくれよ」

天野が言った。

「残るのは、おれ、菊地、安永、立石、中尾の五人だ」

「どうして、おれを残してくんないんだよ」

天野は、ふくれた顔をした。

「天野には解放区放送をやってもらわなけりゃならねえ。ここを出たら、日比野と二人ですぐに隣のビルの屋上に行ってくれ」

「そうか、そういうことならしかたねえや。実況は過激にやっていいんだな?」

「もちろんさ。最後の解放区放送だからな。どこで終らすかは、トランシーバーで連絡する。さあ、早く行ってくれよ」

「よし、じゃあ出かけるぞ」

天野と日比野は立ち上がった。

「これが最後だと思うと、見るものすべて懐かしいぜ」

天野は、そう言いながら、まわりをぐるりと見まわした。それから、ゆっくりとマンホールの方へ歩いて行った。

「よし、じゃあ、みんなもそろそろ出かけてくれ。言っとくけど、おれたちは負けて逃げるんじゃない。やるだけのことをやったから、ここから転進するんだ」

「そうだぞ。おれたちは負けたんじゃねえんだからな」

安永が大きい声で言った。

「わかってるって」

天野は、マンホールから首一つ出して言うと姿を隠した。

「お前とタローもよく働いてくれたぜ」

相原は、佐竹俊郎とタローの頭を撫《な》でた。

「また、こんどやるとき呼んでね」

俊郎は、兄の哲郎につづいてマンホールへ向かった。

宇野がやってきて、相原、安永、英治の手を順ににぎった。

「ありがとうよ」

「お礼はおたがいさまさ。お前がいちばん変ったぜ」

安永が言った。

「そうか……」

宇野は、皓《しろ》い歯を出して笑った。いかにも嬉《うれ》しそうな顔をしている。

「おれってさ、シマリスみたいにいつもびびってばかりいただろう。自分でもいやだったんだ。それが、みんなといっしょにやってるうちに、おっかないものがなくなっちゃったんだよ。どうしてかな」

「お前はもう、シマリスじゃなくてコブラだ」

「そうだ。これから宇野はコブラにしよう」

相原が言った。

「コブラって、ちょっと陰険な感じがいやだけど、まあいいや。じゃあ、川で待ってるぜ」

宇野につづいて、一人ずつマンホールに入って行く。五分ほどで、五人と瀬川だけになってしまった。

「おじいさんも早く行きなよ」

英治が言った。

「いや、わしは君たちが出たあと、最後にここを引き揚げる」

「もたもたしてて、ポリ公につかまったらたいへんだぜ」

「つかまるもんか。わしは、戦争の生き残りだぞ」

「おじいさん、こんど会うにはどうしたらいい?」

「わしのことなんか、ここを出れば忘れちまうさ」

「そんなことないよ。きっと、もう一度会いたくなると思うんだ」

英治は、ほんとうにそう思った。

「嬉しいことを言ってくれるな。しかし、わしには、あすのことはわからん。もし縁があれば、町のどこかで会うこともあるだろう。そのときは、わしの方からは、けっして声をかけぬから安心するがいい」

「どうしてさぁ」

「浮浪者から声をかけられたら迷惑するだろう。きまってるじゃないか」

「そんなことないよ」

「その話はもういいから、持ち場につけ。外の奴に、五人しかいないとわかったらまずいだろう」

瀬川は、突き放すように言った。

「じゃ、おれ見張り台に上るぜ」

英治は、見張り台に向かって駈《か》け出した。

「安永も上れよ。おれと中尾は、屋上にスピーカーをセットする」

「おれは?」

立石が相原に言った。

「花火の具合いを見てくれよ」

「わかった」

立石も駈け出した。

見張り台に上った英治は、ふり向いて広場を見た。それまで、何人かがいつもそこで、作業したり、遊んだり、水浴びしたりしていたものだった。

それがいまは、夏の陽光の下で皓々《しろじろ》と輝き、ひっそりと静まりかえった空間である。

「なんだか、淋《さび》しくなっちゃったな」

安永は、感傷的になったみたいだ。

「うん」

英治は、安永が英治と同じことを考えていたことに、親近感をおぼえた。そのとき、肩に小さな石があたった。上を見上げると、隣のビルの屋上に日比野と天野がいた。

「あれ、見ろよ」

英治は、安永の顔をそちらに向けた。二人は、指で輪をつくっている。準備ＯＫという合図だ。わかったというように、小さく手を振った。

英治は腕時計を見た。十時まで、あと十分だ。

突然、四階のスピーカーから〝炎のファイター〟が流れはじめた。最後の放送は、スピーカーからも流れるようになっているのだ。

「ただいまから解放区放送をはじめる。海水浴と山へ行かない諸君は、きっと聞いていてくれると思う。きのうの生中継はおもしろかったろう？　あと十分すると、もっとおもしろい実況を聞かせるから期待してくれよ。実況担当はおれじゃない。例の過激なアナウンサー天野だ」

中尾は、隣のビルの屋上に向かってキューを出した。

「はーい。お待たせ。おれが過激なアナウンサー古館、じゃない天野だ。おれはまだ十二歳、あんなに古くはない。いまおれは、決死の覚悟でマイクをにぎっているんだぜ。

なぜだって？　きまってるじゃんか、もうすぐここへ情け容赦《ようしゃ》のないプロのテロリスト集団が攻め寄せてくるんだ。奴らの目的は、おれたちの首を狩ることだ。つまりヘッドハンターさ。恐怖と戦慄《せんりつ》の大殺戮《さつりく》だ。

おれは、その修羅場《しゅらば》を最後の瞬間まで全部放送するぜ。おれの首がついている間はな。

おおッと、そう言っているうちに、パトカーの姿が見えました。いよいよ、ここ荒川と隅田川の二つの川にはさまれた、大都会のエアポケットにおいて、おとなと子どもの凄絶《せいぜつ》な死闘の幕が、切って落とされようとしているのであります」

英治は、首を突き出して道路を見おろした。パトカーと輸送車がかなり離れたところに停まって、警官がばらばらと降りてくる。

「なんだ、機動隊じゃねえのか」

安永は、自尊心を傷つけられたのか、むっとした表情をした。

屋上のスピーカーがなり立てている。

「おおぉッと、警官が降りてきます。一、二、三、四……。続々と出てきます。整列しました。解放区に向かって進んできます。それはまさしく、ボルネオの奥地にいるとかいう首狩り族、ヘッドハンターの行進であります。その目はぎらぎらと光り、口は、血を求めて舌なめずりしております。まさに死神。もう正門まで一〇メートルもありません。おおッと、一隊は正門に、残りは解放区のまわりを取り囲みました。猫の子一匹逃さない覚悟のようであります。血で血を洗う真昼の惨劇《さんげき》が、いままさにはじまろうとしています」

警官が正門の前に一列に並んだ。隊長らしい男が、ハンドマイクを手にした。

「諸君、いますぐ、門をあけて出てきなさい。われわれは、諸君を逮捕しにきたのではない。すぐ出てきなさい。十数えるだけの時間をあたえる。それでも出てこない場合は、ただちに突入する」

相原と中尾が見張り台の下にやってきた。降りろと手で合図している。英治と安永は下に降りた。立石もやってきた。

「一、二、三……」

外で、数を数える声が聞こえてきた。

「みんな、マンホールに入れ」

瀬川がやってきて言った。

「花火は、わしが点火する」

「十まで数えたらすぐだぜ」

「わかっとる」

「点火したら、すぐマンホールへ来てよ」

うなずいた瀬川は、ゆっくりと正門に近づく。口火はその下にあるのだ。

「七、八、九……」

数を数えるペースがさらにゆっくりしてきた。屋上のスピーカーからは、天野が放送をつづけている。実際は、向こうのビルでやっているのだが、電波を飛ばしているので、屋上で放送しているように見える。

「カウントが数えられました。解放区の中はしんと静まりかえって、物音一つ聞こえません。戦うか、降参するか議論しているのでしょうか。しかし、もう時間はないっ。カウントアウトだっ。門は開かない。彼らは戦うことを決意したのか……。あ、十《テン》。遂《つい》にカウントは十を数えられました。おおぉッと。正門に火があがりました。それは、ジェット機よりも速く、塀《へい》の上を走ります。この奇襲、猪木の延髄《えんずい》斬りくらいの効果はあったようです。警官は、一歩、二歩しりぞきました。顔が蒼《あお》い。みんなびびっている。隊長は怒っています」

英治たち五人は、塀の上を走る花火を確認してからマンホールに入った。瀬川が走ってくる。マンホールに引きずりこんだ。ふたを閉めた。中は真の闇《やみ》である。瀬川の荒い息が耳もとでした。だれがつけたか、懐中電灯の丸い明りが足もとを照《て》らした。

「子どもたちは、警官隊の呼びかけをまったく無視し、かえって仕掛花火に火をつけて挑発《ちょうはつ》しました。あッ、ブルドーザーがやってきました。これで正門をこわすつもりのようです。みなさんお聞きでしょうか。隊長はなおも出てこいと言っておりますが、応えはまったくありません。ブルドーザーが進みはじめました。ブルドーザーは、いよいよ安田砦《とりで》の攻防戦が再現しようとしておりまず。子どもたちは、いったいどんな武器で戦おうというのでありましょうか。ブルドーザーが門に突っ込みます。一度、二度、門はもろくもこわれました。内側には、机やロッカー、鉄パイプ、トタン板などガラクタがうず高く積みあげてあります。これが、バリケードのつもりなのでしょうか。ようやく、解放区の内部が見えてきました。しかし、子どもたちの姿はどこにも見当りません」

矢場は、ここまで喋《しゃべ》って一息ついた。屋上のスピーカーからは、相変らず過激な放送がつづいている。あれを早く排除してくれなくては、こっちがまったく食われてしまう。

近ごろのガキときたら、素人《しろうと》ばなれしたうまさだ。油断も隙《すき》もない。

「子どもたちは、いったいどこにいるのでしょう。もしかしたら、どこかで集団自決でもしているのではないでしょうか。捜索する警官の表情にも、ようやく焦《あせ》りと不安の色が見えはじめてきました。母親たちが、警官の制止を振り切って、中へ入って行きます。みんな口々《くちぐち》に、わが子の名前を呼びつづけていますが、どこにもその姿は見当りません。聞こえるのは屋上の解放区放送だけです。残すところは屋上だけです。警官が非常階段を駆《か》け上がりはじめました」

「諸君、ポリ公の上がってくる足音が近づいてきた。もう放送する時間はわずかしかない。先を急ぐぜ。一九六九年一月、安田講堂がポリ公に攻め落とされたとき、東大全共闘は、最後の放送をこう結んだんだ。

われわれの闘いは勝利だった。全国の学生・市民・労働者のみなさん、われわれの闘いは決して終ったのではなく、われわれにかわって闘う同志の諸君が、再び解放講堂から時計台放送を真に再開する日まで、一時この放送を中止します。

おれたちの親も、いまは堕落したけど、若いころにはけっこうかっこいいことやったんだよな。おおッと、もうポリ公の姿が見えてきた。では、解放区放送はこれで中止して、おれは消えるぜ。バイバイ」

「テレビをごらんのみなさん。どうやら解放区放送は終ったようです。最後に東大全共闘を持ち出すあたり、連中もやるじゃないですか。

ところで、解放区に入って行った警官は、まだ子どもたちを見つけていないようです。あッ、レポーターが帰ってきましたので報告を聞きます。どうでした？　井上さん」

矢場は、レポーターにマイクを向けた。

「いません」

「いないって、いまのいままで放送してたじゃないですか？」

「そうなんです。ところが屋上に上がってみると、あるのはスピーカーだけでした」

「どこかから脱出したんでしょう？」

「いいえ、あそこは脱出不可能の密室なのです」

「そんなばかな……」

「矢場さん、ぼくはいま、あることをふっと思い出したんです」

「なんでしょうか？」

「ハーメルンの笛吹き男の話ですよ」

「笛吹き男が、町中の子どもたちをつれて、どこかへ行ってしまう話ですね？」

「そうです。あれは中世のドイツで実際起きた話らしいですが、いまわれわれは二十世紀の東京で、同じ体験をしているんです」

「子どもたちは、どこへ行ったんですか？」

「四次元の世界だと思います」

「四次元？」

「子どもたちの姿を、われわれは二度と見ることはできないかもしれません」

「もしそうだったら、えらいことじゃないですか？」

「そうです。えらいことです。むかしでいう神隠しです。おそらく、こういう現象は、これからも地球上のどこかで起こるんじゃないでしょうか？」

「子どもがつぎつぎといなくなったら、いったい世の中はどうなるんですか？」

「おとなだけの世界……。考えるだけでも寒気がしてきます」

「私たちはどうすればいいんですか？」

「矢場さん、あなたお子さんをお持ちですか？」

「いますよ。小学五年生の娘が一人」

「私も、小学二年の坊主がいます。もし、お子さんがいなくなったら、と考えたことがありますか？」

「とんでもない。そんなこと、考えただけで頭がおかしくなります」

矢場は、はげしく首を振った。

「そうでしょう。親だったら、子どもの幸せをねがわない者はいないと思います。しかし、実はわれわれは、子どもを幸せにしようとしながら、不幸にしているという、思いちがいをしているのではないでしょうか？」

「それ、どういうことですか？」

「われわれは、子どもを〝いい子〟にしようとしています。われわれのいう〝いい子〟とはなんでしょうか？　それは、おとなのミニチュアですよ。つまり、おとなになったとき、社会の一員として、役に立つように仕込むのが教育なのです」

「たしかに、それが期待される人間像かもしれません」

「これは、おとな優先の発想です。身勝手とは思いませんか？　われわれは、一度だって、子どもの目で世界を見たことがあるでしょうか？　子どもは、おとなの囚人ではないのです」

「わかりますよ。あなたの言いたいことは。しかし……」

「神は、だからわれわれから子どもを奪われたのです。いまとなっては、悔《く》い改め、神に祈るしかないでしょう」

母親たちの泣き叫ぶ声が、解放区に満ち溢《あふ》れた。

「みなさん、これはまさに黙示録の世界です。祈りましょう。神に……」

矢場はマイクをにぎりしめ、声を限りに叫んだ。

英治は、純子のくれたソフトクリームをなめながら、ぼんやりと川向こうの建物を眺めていた。

河原の草の上には、四十人の子どもたちが思い思いに腰をおろして、食べたり喋《しゃべ》ったり笑ったりしている。

相原がやってきて、隣に腰をおろした。

「ここから見ると、あそこが解放区だったなんて、夢みたいだな」

「いまごろ、まだおれたちを捜してるかな?」

「捜してるさ」

相原は、いたずらっぽい目をした。

「焦《あせ》ってるわよ。みんないなくなって……」

純子が言った。英治は急におかしくなった。すると、笑いがつぎからつぎと吹き出してきて止まらなくなった。

相原も笑い出した。純子も笑っている。あッという間に全員に伝染して笑い出した。

草の上をごろごろ転がる者もいる。立ち上がって踊り出す者もいる。

笑い声は、川面をゆっくりと流れてゆく。やがてそれは、太平洋に出て空と一つになるのだ。

自転車に乗った西脇が、堤防に姿をあらわした。

「みんな無事？」

「これさ」

英治は、Vサインをして見せた。西脇はそこへ自転車を倒すと、転げそうになりながら、堤防を駈《か》け降りてきた。

「よかったわね。いま解放区は大騒ぎよ」

「ほんとかい？」

西脇に、みんなの視線が集まった。

「ほんとよ。子どもたちが、ブラックホールに呑《の》みこまれちゃったって」

「やったあ」

火がついたように笑い出した。

「みんな、悲しがって泣いてるのよ」

西脇が言ったとたん、笑いは大きな渦《うず》になった。英治は、ただわけもなく駈け出したくなった。川岸まで行って、解放区に向かって手を振った。

「おーい、解放区ぅ。バイバイ」

これ以上は出せない声で叫んだ。

解説

本書『ぼくらの七日間戦争』は、社会派サスペンス・ミステリーや、子供を主人公にした皮肉な諧謔とウィットに富んだ独特のユーモア・サスペンス小説などでおなじみの宗田理氏が、昭和五十八年に発表した話題作『少年みなごろし団』のモチーフをさらに敷衍《ふえん》させ、奇抜な着想で描き出す不思議な面白さと、現代社会への警鐘の意味もこめられた一種独特の〝ソウダ・サスペンス・ロマン〟ともいうべき、ユーモラスで、またショッキングな書き下し痛快作である。

一口で言えば、現代の管理社会・管理教育に対する少年たちの思い切った叛乱を描いて、非常に小気味のよい痛快な報復劇が、随所にちりばめられた宗田氏らしいアイデア（イタズラ精神）と、軽妙な語り口に乗って展開するわけだが、読み進む途中で「ちょっと待てよ」という気持が胸に萌し、しかし、スピーディなストーリーの流れに引き込まれるように最終ページまで読み了えてから、いやこれは大変な問題を提起した作品なのだと、改めて考えこんでしまう……、本書はそんな不思議な小説なのである。

子供を主人公にした小説は、児童文学を別にしても決して少なくはないのだが、作者のおとなの視点がこれほど邪魔にならない小説も珍しい。だからといって作者が子供に媚びたり、必要以上に「理解ある大人」であったりしているわけでもなく、かつて子供であった作者が、徹底していまの子供の立場にタイムスリップし、その視点、姿勢を貫きとおしたところに、本書の最大のユニークさがあるといえよう。

宗田理氏は昭和五十四年、直木賞候補作となった社会派サスペンスの力作『未知海域』でデビューを飾って以来、情報性に富むサスペンス・ミステリー『小説日米自動車戦争』（五十五年）、二十人もの老人の誘拐事件をコミカルに描いた『誘拐ツアー』（五十七年）、単身赴任中に家庭を破壊されたエリートサラリーマンが敢然と報復に立ち上る企業サスペンス推理『破壊家族』（五十七年）、そして本書の姉妹篇ともいうべき『少年みなごろし団』、保守党の元総裁候補の〝自殺〟に端を発した連続殺人の謎を追う『船絵馬殺人事件』（五十九年）、老詐欺師とその一族がだましのテクニックを駆使してサラ金社長らに復讐するコンゲーム風大作戦を描いた『ペテン師ファミリー』（五十九年）から、ユーモア・ミステリーの最近作『三河湾殺人望郷歌』（五十九年）に至るまで、宗田氏は多様な作品傾向で現代社会のはざまに横たわる問題点を俎上に乗せ、一貫して弱者の立場から小説世界を構築してきた。

したがって宗田作品には、社会派サスペンス、ユーモア・ミステリーの別を問わず、追い詰められた弱者が、弱者なりの知恵を絞って強者に立ち向かっていく、いわゆる〝報復もの〟が多いのが特徴であろう。

さて本書は前にも記したとおり、今日の管理社会、管理教育に中学一年生（十二～十三歳）の生徒が果敢に牙を剝き、解放区に立てこもって闘い抜く七日間の闘争の顚末を、アイデアに富むコミカルな味つけで描いた一種のワンダー・サスペンス小説とでも言えばよいか——、通常の学園ミステリーや青春サスペンス・ロマンとも一味ちがった作品に仕上っているのである。

七日間の時間構成になる本書のプロローグは、七月二十日、つまり第一学期終業式の当日で、明日から夏休みという日に幕を開ける。この日、東京の下町にある中学校の一年二組の男子生徒二十二人のうち二十一名が、下校時間をすぎ、夕方になっても帰宅せず、集団誘拐ではないかと親たちが騒ぎ出すなか、たしかに産婦人科医院の息子は誘拐されていたのだが、残る二十名の男子生徒は、荒川河川敷の近くにある、倒産して無人化した会社の建て物と敷地を占拠、ここを解放区と定めて立てこもっていたのだった。

女子生徒を参加させなかったのは、女子が加われば〝不純異性交遊〟と父兄が大騒ぎするにちがいないという子供たちなりの配慮であり、そのかわり女生徒は、情報の収集や連絡などで外部から協力することになる。

こうして出来上った解放区にこもった子供たちは、男子では唯一人解放区の外にいるエレクトロニクスに強い生徒のリードで、その夜からFMを利用した解放放送を流しはじめるのだが……。

解放区とか解放放送といえば、学園紛争はなやかな一九六〇年代末期の、全共闘による神田解放区《カルチエ・ラタン》闘争や東大安田講堂からの時計台放送を思い起される読者も多いと思うが、本書で解放区に立てこもる生徒の父母が全共闘世代に当っているのである。だから本書でもかつて全共闘の闘士であった父母が、東大安田砦の陥落で闘争が終焉したのではなく、後《あと》につづくものが出てくるまで時計台放送も一時中止するだけだ、という最後の時計台放送を思い出しながら、いまの大学生には権力に反抗するエネルギーはなく、高校生は大学の予備校になり下って、中学生も三年になれば教師の言いなりだから、われわれの後につづくものは誰もいない……と慨嘆する場面がある。

ところが、とんでもないところに「後につづくもの」がいたのだ。

中学一年の子供たちに、もちろん確固たる思想があるわけではない。解放区をつくろうという一部生徒の動きに、クラスの男子生徒全員が参加することになったのも、「なんとなく面白そうだから」であり、思想や理論以前に、現代管理社会、教育の欺瞞を本能的に子供たちが捉《とら》えていたからにほかならない。

「生物ってのは、将来の危険を予知する本能を持っていて、その危険を回避しようとする。それを持たない生物は、淘汰されて亡びてしまう。彼らも、このままでいったら、将来によくないことが起こると、本能的に察知してああいう行動をとったにちがいない」

と解放区に立てこもった子供たちについて、元全共闘活動家の父兄は言うのだが、このへんは非常に暗示的といえよう。

一夜明けると、解放区から再び子供たちを管理社会へ奪還すべく、校長以下の学校側当事者と、父兄の説得が開始される。しかし、大人はいたずらに子供たちに翻弄されるばかりで、適切な対応策も打ち出せない。これに対して子供たちは、誘拐されたクラスメートを救出するために、解放区の内と外が協力して一大救出作戦を展開する一方、やがて解放区に踏み込んでくるにちがいない大人たちに対抗するため、バリケード封鎖ならぬ、奇想天外な仕掛けを作り上げていく……。

学校関係者をはじめ、大人たちはかなり戯画化されて描かれているのだが、それは子供たちのイタズラ（ワンパク）精神と相俟って、偽善に満ちた現代社会を、関西風に言えばおちょくっているのであり、おちょくりは常に弱者の強者に対する痛烈な諷刺でもあったはずだ。

校内暴力、家庭内暴力、少女売春……その他、いわゆる青少年の非行を報じるニュースが新聞に出ない日はないくらいである。そして年と共に低年齢化する非行（落ちこぼれ）を一方の極とすれば、もう一方には受験のための勉強に追いまくられて、少年特有のダイナミズムを喪い、生気のない虚ろな眼の受験ロボット化した子供たちがいて、大人は後者をいい子だと言うのだが……。

がんじがらめに管理社会の枠に組み込まれ、太陽の下で潑剌と遊ぶ自由さえ奪われている子供たち。そんないまの子供たちの姿を、その直面している現状を、正常だと本心から大人は思っているのだろうか？

ち）の、子ども教育なのですから。あなたたちの私たちが大事なのであって、私たちそのものが問題になっているのではない。私たちは何事においても不在なのであって、大人たちは自分のことをしているのだから自分たち同士でやればよい」

「『子どもの教育』については、私たちは関係ないのです。あなたたち（註・父母、大人た

クリスチアーヌ・ロシュフォール（『戦士の休息』などで知られるフランスの女流作家）は、その著『追いつめられた子どもたち』（西川祐子訳、人文書院）のなかで子供たちの沈黙をそう代弁し、「親たちは子ども可愛さに、子どもの幸せのために（「おまえのためなんだよ」）子どもを保護するために、子どもを教育し、養成し、管理する。両親はふつう子どもたちの幸福をねがっており、子どもを社会に組入れることが幸福にすることとなのだとおもいこんでいて、社会に対し疑問を抱くことなく、知らず知らずその道具となっている。もし親たちに、あなた方は知らずに社会の下す命令を実行する道具となっているのですと告げるなら、破壊的なさわぎとなるだろう。お父さん、あなたは誰のために僕をおとなしい羊に仕立てあげようとしているか知っていますか？　お母さん、あなたは誰のために苦労して、あたしをあなたと同じおとなしい犠牲者に育てているの？」と言うのである。

いまや完全に管理社会の〝奴隷〟と化しつつある子供たちを、重い鎖から解き放し、本来の自由を与えようではないかというのがロシュフォールの主張であり、「船の難破のときのように、子どもたちを優先させねばならない。ほんとうに難破が起きているのだから」と解放を急

がなければ大変なことになると警告を発しているのだ。

本書の姉妹篇『少年みなごろし団』の書評を求められたとき、かつて筆者は以下のように記したことがある――「すでに今日の管理社会に組み込まれている大人たちが、自分たちに都合のいい〝理想の子供像〟をつくり上げ、押しつけようとしても、それはしょせん大人の眼から見た一方的で歪められた子供像でしかなく、未開であるがゆえに無限の可能性をも秘めた子供たちの萌芽を、無残に摘みとることにしかならないはずだ。病症が子供たちに現れたからといって、病原までが必ずしも子供たちにあるわけではない。むしろ病巣は現代のさまざまな矛盾を内包する大人社会にあり、非行や落ちこぼれもそうした社会のひずみが子供というもっとも脆弱な部分に投影した結果ではないのか」――これはそのまま本書の感想として置換できるし、むしろ本書では小説としての面白さの背景に秘められた作者の主張は、さらに鮮明化していると言えそうである。

「大人からみて〝いい子〟ばかりの世の中になったら、人間の未来は暗いはずだし、現状のような管理教育のままで推移すれば、子供たちの内面に鬱積した怒りや不満のマグマが、いずれこうしたかたちで爆発するのではないだろうか」

と宗田氏は言う。

本書はもちろん完全なフィクションであり、中学生が集団で叛乱、蹶起したという話はまだ聞かない。しかし、いまの正常とはいえない状況を考えれば、本書のような事態がいつ現実に発生してもおかしくないし、その予兆がこれから出てくるのではないだろうか？　実際に、個人の（あるいは少数の）叛乱ならその例はすでに枚挙にいとまがないほどである。

その意味で本書は、近未来に警鐘を発する、宗田氏の社会派的バックボーンをも示した一篇であり、またそうした固い話は抜きにしても、大人から子供たちまで愉しめるよう特に平易さにまで気配りされた、小気味よくも痛快なサスペンス・ロマンに仕上っているのである。

宗　肖之介

ぼくらの七日《なのか》間《かん》戦《せん》争《そう》

宗《そう》田《だ》理《おさむ》

角川文庫 5918

昭和六十年四月十日 初版発行
平成五年七月十日 六十二版発行

発行者――角川春樹
発行所――株式会社角川書店
東京都千代田区富士見二―十三―三
電話 編集部(〇三)三八一七―八四五一
営業部(〇三)三八一七―八五二一
〒一〇二 振替東京③一九五二〇八
印刷所――旭印刷 製本所――本間製本
装幀者――杉浦康平

落丁・乱丁本はご面倒でも小社角川ブック・サービス宛にお送りください。送料は小社負担でお取り替えいたします。
定価はカバーに明記してあります。

そ 3-1 ISBN4-04-160201-7 C0193

角川文庫発刊に際して

角川源義

第二次世界大戦の敗北は、軍事力の敗北であった以上に、私たちの若い文化力の敗退であった。私たちの文化が戦争に対して如何に無力であり、単なるあだ花に過ぎなかったかを、私たちは身を以て体験し痛感した。西洋近代文化の摂取にとって、明治以後八十年の歳月は決して短かすぎたとは言えない。にもかかわらず、近代文化の伝統を確立し、自由な批判と柔軟な良識に富む文化層として自らを形成することに私たちは失敗して来た。そしてこれは、各層への文化の普及滲透を任務とする出版人の責任でもあった。

一九四五年以来、私たちは再び振出しに戻り、第一歩から踏み出すことを余儀なくされた。これは大きな不幸ではあるが、反面、これまでの混沌・未熟・歪曲の中にあった我が国の文化に秩序と確たる基礎を齎らすためには絶好の機会でもある。角川書店は、このような祖国の文化的危機にあたり、微力をも顧みず再建の礎石たるべき抱負と決意とをもって出発したが、ここに創立以来の念願を果すべく角川文庫を発刊する。これまで刊行されたあらゆる全集叢書文庫類の長所と短所とを検討し、古今東西の不朽の典籍を、良心的編集のもとに、廉価に、そして書架にふさわしい美本として、多くのひとびとに提供しようとする。しかし私たちは徒らに百科全書的な知識のジレッタントを作ることを目的とせず、あくまで祖国の文化に秩序と再建への道を示し、この文庫を角川書店の栄ある事業として、今後永久に継続発展せしめ、学芸と教養との殿堂として大成せんことを期したい。多くの読書子の愛情ある忠言と支持とによって、この希望と抱負とを完遂せしめられんことを願う。

一九四九年五月三日